Spanish   11/4/99
                    Villasenor
Marino, Ricardo

En el ultimo planeta
                    c1992

Dirección Editorial
Canela
(Gigliola Zecchin de Duhalde)

Diseño: Helena Homs

Ilustración de tapa: Jorge Sanzol

Primera edición: marzo de 1992
Cuarta edición: febrero de 1999

* * * * * * * * * * * * * * * * * * *

EN EL ÚLTIMO
PLANETA

* * * * * * * * * * * * * * * * * * *

A Andrés Mariño, suave monarca

* * * * * * * * * * * * * * * * *

EN EL ÚLTIMO PLANETA

PLANETA

Ricardo Mariño

* * * * * * * * * * * * * * * * *

Impreso en la Argentina
Queda hecho el depósito
que previene la ley 11.723
©1992, Editorial Sudamericana S.A.
Humberto I 531, Buenos Aires.
ISBN 950-07-0733-0

* * * * * * * * * * * * * * * * * * *

ACCIDENTE EN EL ESPACIO

* * * * * * * * * * * * * * * * * * *

* * * * * * * * * * * * * * * * * * *

Este libro trata sobre "Nada". Sobre las aventuras vividas en ese planeta al que le pusimos nombre Marcia y yo y al que llegamos por accidente cuando nuestra nave regresaba de Neptuno.

La mañana del 15 de febrero del año 2090, hace tres años, me embarqué en un cosmobús que me traería de regreso a la Tierra. Mis abuelos me llevaron hasta el Puerto Galáctico de Neptuno, cargándome poco antes de despedirse con regalos para todos nuestros parientes terrestres, además de un paquete con las extrañas frutas del lugar para que mis dos hermanos las probaran.

En Neptuno había pasado las vacaciones de

verano, tres meses en los que tuve tiempo de recorrer una buena parte de ese planeta tan diferente al nuestro, con sus ciudades construidas en el fondo de los cráteres volcánicos apagados, sus gigantescos y atolondrados animales voladores y las curiosas costumbres de sus habitantes. (Con varios neptunianos de mi edad nos hicimos tan amigos que todavía hoy continuamos intercambiando video-mensajes.)

Mis abuelos residían en Neptuno desde hacía quince años. Sin embargo era la primera vez que los visitaba como también el primer viaje que mis padres me permitían hacer solo. En realidad me había ganado el derecho a viajar en un concurso de la Teledifusora Interplanetaria 879, cuyo premio consistía precisamente en un pasaje al planeta que uno eligiera.

En Buenos Aires yo tenía uno de esos perros grandes y azules que traen de Venus, regalo de mi vecino Jeremías Einstein, quien se dedicaba a amaestrar canes que luego vendía a gente que no estaba en condiciones de comprarse un robot-mandadero. En rigor, nuestro "Einstein" —ése fue el nombre que encontré para llamar al perro— jamás aceptó la orden de ir a hacer las compras a la Supertienda y hasta parecía sonreír irónicamente ante la insistencia de mi madre.

Una tarde, entonces, sonó el telefonovisor y cuando atendí, alguien me dijo:

—¡Muy buenas tardes, muchacho! Te llamamos de "La Hora de la Ciencia". Debes respondernos la siguiente pregunta: ¿quién fue el científico terrestre autor de la Teoría de la Relatividad? Tienes veinte segundos para decir su nombre..."

Le iba a contestar que no tenía la menor idea y que en casa estábamos hartos de la infinidad de programas de todos los planetas que a cada rato llamaban, cuando el perro levantó su pata izquierda e hizo pis sobre mi zapatilla.

—¡Maldita sea, Einstein! —le grité, tirándole una patada. Afortunadamente el aparato sólo me estaba enfocando la cara, así que el animador del programa me dijo:

—Bueno, no es necesario que contestes de ese modo, muchacho. Pero entendemos tu alegría. ¡Felicitaciones! ¡Acabas de ganarte un viaje al planeta que prefieras gracias a "La Hora de la Ciencia"!

Fue así como pude viajar a Neptuno.

La nave que me tocó para hacer el viaje de regreso a la Tierra era una de esas de la Línea Cósmica de Neptuno, mucho más estrecha que la que me había tocado en suerte a la ida, aunque en compensación tenía grandes ventanales como para que los pasajeros disfrutáramos de la vista de todo el espacio interestelar.

Saludé a mis abuelos mientras el cosmobús comenzaba a ascender. Es una sensación muy especial la de estar mirando a dos personas y que rápidamente, en segundos, comiencen a verse pequeñísimas, hasta convertirse en dos puntitos. Enseguida todo el planeta pareció apenas una naranja flotando en el espacio, y eso que Neptuno es mucho más grande que la Tierra.

En total éramos ocho pasajeros, además del conductor y la azafata que por supuesto eran robots.

Sentada enfrente iba una anciana terráquea (mejicana) que mientras me acomodaba se dirigió a mí como si yo tuviera once años. Apenas soporté que lo hiciera, pero en la segunda oportunidad que me trató como a un niño no tuve más remedio que decírselo:

—Tengo doce años, señora —la corregí. Se quedó mirándome extrañada.

Con ella viajaba una chica que, como estaba de moda en la Tierra, llevaba la cabeza rapada, encerada, brillante, y pintadas las orejas a rayas transversales rojas y verdes. Era nieta de la anciana y extraordinariamente delgada. Me confundía el que fuera tan flaca y me gustara tanto: ¿cómo podía ser así si precisamente mis favoritas eran las robustas chicas de tres senos de Neptuno, como lo probaba la colección de cien fotos que llevaba en mi bolsillo? Era hermosísima. La abuela hablaba y ella parecía distraída. Calculé que tendría unos doce años (la chica).

Los primeros asientos estaban ocupados por un matrimonio de plutonianos. Los de Plutón tienen dos finas antenas que les nacen en la nuca y se doblan hacia adelante, golpeándoles cómicamente la cara. Cuando hablan (se oye un zumbido) las antenas se ponen rígidas y parecen afectadas por leves temblores. Tienen cuatro brazos y una estatura algo menor a la de un terrestre mediano.

Excepto los plutonianos, los demás nos comunicábamos en nuestros idiomas originales, en el ICU* o directamente con el audífono tra-

(*) Idioma Cósmico Único

ductor (es obligatorio llevar uno cuando se viaja).

Detrás de los plutonianos iba un hombrecito de treinta centímetros de alto, proveniente de Gamonius. Personalmente conocía bastante sobre ese planeta de la tercera Galaxia ya que hacía poco en mi colegio habían proyectado una película en la que se mostraban las grandes ciudades enanas de Gamonius con multitudes de esos seres pequeñitos yendo y viniendo por las calles entre edificios que parecían de juguete.

—¿Viajas solo, querido? ¿Cuál es tu nombre, pequeño? —recuerdo que me preguntó la anciana.

—Bruno. Bruno Plop. Sí, viajo solo —le contesté.

—Aquel niño también viaja solo —nos dijo a su nieta y a mí, señalando al hombrecito de Gamonius. Reí a carcajadas (también la chica rió, mirándome y tapándose la boca), en tanto el hombrecito clavó su penetrante mirada en mí como dispuesto a morderme si continuaba riéndome de esa manera.

Otro pasajero era el señor Piero N. Mastrángelo, al cual le hacían falta dos butacas para acomodar su traste descomunal. Era terrestre (italiano) y sumamente educado: antes de ir a su asiento saludó uno por uno a todos los compañeros de viaje presentándose con su nombre completo, deseándonos que disfrutáramos de la travesía y aclarándonos que había visitado Neptuno por cuestiones de negocios y "por puro placer de conocer lo ignorado".

El último pasajero era un Locósmico, un ser de ese planeta llamado Locosmos del cual hasta entonces pensaba yo que era un invento de las revistas.

El Locósmico se sentó junto a mí y me dio conversación. Me hizo algunas preguntas sobre mi país y luego me contó que el deporte más popular de su planeta es la "Carrera de Casas". Compiten, me explicó, dos equipos formados por unos diez mil jugadores cada uno. Sobre una pista de 50 kilómetros cada equipo debe arrastrar una casa. Gana el que primero arriba a la meta con su casa. ¿Se estaría burlando de mí?

Al mediodía la azafata-robot nos invitó a pasar al comedor. Traté de que mi silla quedara frente a la de la chica (escuché que la abuela la llamaba "Marcia"), pero la estúpida de la azafata observó:

—Que el niño se siente de este lado.

—¿A qué niño se refiere? —pregunté fastidiado. Todos rieron. También Marcia.

El Locósmico comió algo así como fideos de alambre, que llevaba a su boca mediante una cuchara con imán. Como los Locósmicos tienen dos bocas —una en la cara para hablar y otra en la nuca para comer— se sientan de espaldas a la mesa y se valen de un espejito para acertarle a la boca. Todos observábamos su complicada manera de alimentarse y lo guiábamos en el manejo de la cuchara con rápidas órdenes: "a la derecha... más hacia abajo... un centímetro a la izquierda".

Injustamente fui reprendido por todos cuando el Locósmico introdujo en su oreja una cucharada de fideos. Me acusaron de haberlo guiado mal deliberadamente.

A mí me sirvieron pescado estelar frío y pepinos violetas de Saturno (¡puaj!). Justo cuando mordí el primer bocado y mi expresión se desfiguró del asco, Marcia levantó la vista y me miró por primera vez desde que entráramos al comedor. "¡Maldición, maldición!", me dije. Para colmo, en dos oportunidades hice el comentario de que ese lugar estaba lleno de mosquitos. Entonces el Locósmico me explicó al oído que ese zumbido que yo atribuía a los mosquitos era el sonido que producen los plutonianos al hablar. Los miré atentamente. El matrimonio estaba de gran conversación: las antenitas vibraban a más no poder.

A poco de que regresáramos al salón principal nuestra nave estuvo a punto de chocar contra un plato volador. El robot-conductor tuvo que hacer una arriesgada maniobra para impedir el impacto pero la nave se sacudió tanto que me hizo desparramar frutas por todos los rincones. Durante los siguientes quince minutos el robot-conductor se lo pasó insultando a su colega del platillo volador con el que estuvo a punto de estrellarse, como si el otro pudiera escucharlo.

—¡Qué maleducados fabrican a los robots últimamente! —fue el comentario que hizo la abuela de Marcia.

Entre varios me ayudaron a recoger las frutas: para reunirme con la totalidad de las minisandías de Saturno que tan cariñosamente había juntado mi abuelo, fue necesario revolver el salón centímetro a centímetro (las minisandías son cinco veces más pequeñas que una uva).

—¿Qué le sucede a este niño? ¿No puede quedarse quieto un momento? —protestó la abuela.

–¡Se le cayeron las frutas! –le explicó Marcia. En eso, mientras perseguía arrodillado a una manzana "viva" (las de Saturno pueden rodar por propia iniciativa y por eso las llaman "vivas") se escuchó un fuerte chillido. Era el señor pequeñito de Gamonius al que yo acababa de aplastar contra el piso de un rodillazo. El pequeñín se rehízo, agitó su puñito y descargó un golpe sobre mi cabeza aprovechando que yo estaba casi tirado en el piso.

Casi no lo sentí. Fue como un coscorroncito de hormiga debilitada. Sin embargo, con una expresión terrible me dijo en su idioma algo así como:

–¡Atwrdrquykjhgiuyopervdgwertaxmzuyb. . !

Temblando, volví a mi sitio.

Habrían transcurrido unas cinco horas de vuelo cuando vimos que una mole gigantesca de piedra venía a nuestro encuentro. En segundos apareció más claramente en nuestra visión, luego se fue agrandando y de pronto la teníamos encima. Enmudecidos, la vimos pasar a centímetros de la trompa de la nave. No llegamos a ver si rozó o no nuestro vehículo pero lo cierto fue que todos saltamos del asiento y luego, cuando la nave dejó de sacudirse, nos encontramos tirados por el piso.

Nos habíamos salvado de milagro. Sin embargo enseguida reparamos en que marchábamos silenciosamente: no funcionaban los motores. Y antes de tener tiempo de lamentarnos, el Locósmico, que había corrido hacia la cabina de mando para ver qué estaba ocurriendo, nos anunció que el robot-conductor se había desconectado luego del golpe.

Fuimos a verlo: estaba en la misma posición habitual pero no movía un dedo de los cuarenta que tenía. No éramos demasiados pero de todas formas se armó un gran griterío. Ninguno sabía cómo manejar la nave o de qué manera utilizar los instrumentos de comunicación para poder hablar con la Tierra o con cualquier otro planeta.

En cuanto a la azafata-robot, siguió sirviendo café, y si le preguntábamos cómo salir de la situación en que estábamos o cómo hacer para dirigirnos a algún sitio conocido, invariablemente nos respondía en ocho idiomas cósmicos distintos y en ICU la misma frase: "La contestación a su pregunta no ha sido programada. Por favor intente preguntar algo más fácil".

Durante toda la noche la nave estuvo viajando sin rumbo. Los pasajeros permanecimos despiertos, yendo y viniendo de la cabina de mando hacia la sala de pasajeros.

Uno de los intentos por salvarnos fue accionar botones y teclas del tablero de mando, apostando a que alguno de esos cientos de cuadraditos con luces pusiera en funcionamiento el equipo de comunicación. Durante dos horas el Locósmico y el hombrecito de Gamonius (parado sobre una silla) estuvieron intentándolo infructuosamente. Al fin, acobardados, regresaron a la sala de pasajeros.

—¡Debemos racionar la comida! —exclamó casi desesperado el señor Piero N. Mastrángelo cuando ya habían pasado diez angustiosas horas. Frotaba nerviosamente su enorme panza y mantenía sus ojos clavados en mi paquete de frutas y en todo bulto sospechoso de contener alguna golosina o alimento.

La azafata-robot continuaba ofreciendo café como una tonta y sonriendo amablemente. Los demás hablábamos interminablemente sobre las escasas posibilidades de salvarnos. Coincidíamos en que nuestra salvación dependía de que fortuitamente pasara cerca un ómnibus espacial, por ejemplo, y que su tripulación se diera cuenta de nuestro percance. Tratábamos de darnos ánimos pero internamente sabíamos que era casi imposible que se nos presentara alguna posibilidad de salir con vida de esa aventura.

Un día después de que nos rozara el meteorito comenzamos a avistar un punto muy lejano. Como ignorábamos por qué región del espacio nos encontrábamos navegando, los mapas cósmicos no nos servían para averiguar si se trataba de algún planeta conocido.

–Si en verdad se trata de un planeta, opino que seremos atraídos por su fuerza de gravedad. En ese caso, queridos compañeros de este desafortunado viaje, en fin... moriremos estrellados –afirmó el señor Piero N. Mastrángelo sin poder disimular el temblor de su voz.

–No hable usted de ese modo delante de los niños –lo reprendió la abuela de Marcia señalando a su nieta, al hombrecito de Gamonius (quien nuevamente la miró enojado) y a mí.

–Pero si se trata de un planeta y está habitado, entonces es posible que nos detecten con sus radares y vengan a socorrernos –comentó el Locósmico.

–¡Nos estamos acercando! –gritó de pronto Marcia y corrió a abrazarse a su abuela. La anciana la apretó entre sus brazos y repitió varias veces su nombre, consolándola.

Me acerqué a uno de los ventanales: resultaba terrorífico ver con qué rapidez ese planeta o lo que fuera se iba agrandando. La sensación que tuve fue la de que esa mole venía hacia nosotros a toda velocidad. Por supuesto, era al revés. Nosotros marchábamos vertiginosamente a estrellarnos contra su superficie.

Aferrado al respaldo de su asiento, el señor Piero N. Mastrángelo estaba paralizado por el miedo, en tanto la pareja de plutonianos permanecía abrazada mirando hacia afuera, con sus antenas vibrando y cierta inequívoca expresión de pánico en sus rostros tan simpáticos en otros momentos.

No pude reprimir mi emoción al ver a Marcia abrazada a su abuela. Corrí hacia ellas y estrechándome a sus cuerpos les dije:

–¡No temas, Marcia! ¡Confíe en mí, noble anciana! Haré lo necesario para que salgan con vida de esta pesadilla. ¡Sí, las salvaré aunque muera en el intento, las salvaré aunque morir me cueste la vida!

Marcia se volvió hacia mí riendo: de esa manera expresaba cuánto la emocionaba mi gesto (¿o su mirada era de burla?). En cambio su abuela me dijo:

—Sí, querido, sí. Eres un excelente muchacho. Pero anda a jugar a otro lado, ¿eh? Puedes jugar con el otro niño, anda.

Pero entonces comencé a preocuparme de verdad. ¿Moriríamos? ¿Ya no vería más a mis hermanos y a mis padres? Sentí miedo y corrí a aferrarme, no sé por qué, al hombre y a la mujer de Plutón. Ellos me abrazaron con sus ocho brazos mientras sus antenitas no dejaban de zumbar: "bzzzz...bzzzz", como si estuvieran consolándome. Imaginé que me estaban contando algo, tal vez un cuento, como hacía mi madre cuando yo era más chico y por las noches tenía miedo.

La nave era un griterío. Ya no cabían dudas: se trataba de un planeta y contra él pereceríamos estrellados. En medio de la confusión, la azafata-robot, como si estuviera loca, iba y venía ofreciendo café. Para apartarme de ese lío fui hasta la cabina de mando, el único lugar que suponía tranquilo.

Sin embargo también hasta allí llegaban los gritos:

—¡No quiero morir aquí! ¡Alguien tiene que ayudarnos!

Por cierto el planeta se veía cada vez más grande y sobre su superficie no se divisaban casas ni edificios ni nada que alimentara la esperanza de que estuviera habitado.

En realidad, había querido entrar a la cabina para probar suerte tocando los cientos y cientos de botones del tablero, como antes habían hecho el Locósmico y el chiquitín. Según palabras de ambos había motores que frenaban el descenso de la nave sólo que nadie sabía con qué combinación de botones ponerlos en funcionamiento.

Me marearon tal cantidad de teclas, botones, luces, palanquitas y mandos digitales de los más diversos colores y formas, con inscripciones en el idioma de Neptuno. Pero mi intención era salvarme, salvar a los demás, y, en fin, convertirme en el héroe de esta aventura, así que elegí un botón amarillo y azul que tenía una leyenda indescifrable. Cauteloso, adelanté el dedo índice, rezando para que no se tratara de un botón que ponía en funcionamiento los motores porque en ese caso nos estrellaríamos más rápidamente contra el planeta. Ya mi dedo rozaba el botón cuando un grito me paralizó:

—¡¿Qué intentas?!

Casi me desmayo. Era Marcia.

—¡Pienso tocar todos los botones hasta dar con el que pone en funcionamiento el mecanismo de descender! —le grité con furia.

—Ah, qué casualidad, lo mismo había pensado yo... ¿Y cuál vas a tocar?

—Cualquiera... ¡éste!

—Ese amarillo y azul no, mejor... ¡ése, el cuadradito!

—¿Para qué hablas? Si no sabes nada.

—¿Y tú? ¿Acaso quieres hacerme creer que entiendes?

No le respondí. Presioné el amarillo y azul: comenzó a oírse la música funcional.

No me rendí: accioné uno violeta con rayitas doradas... Se encendió una pequeña pantalla en la que podía leerse en distintos idiomas: "Su horóscopo para hoy le aconseja dejar que todo continúe como está, interviniendo usted lo menos posible a fin de no introducir alguna estúpida variante que complique las cosas aun más. En el amor, pésimo: tendrá un altercado con su amada. Negocios, perderá lo poco que le queda. Vínculos familiares, ni hablar. Quién sabe si vuelve a ver a alguien de su familia..."

–¡Dios mío!

Accioné entonces un triángulo blanco: salió una mano mecánica: una con un pañuelo de papel y otra que sostuvo mi nuca. La primera presionó mis fosas nasales, al tiempo que una voz metálica me ordenaba "¡sople!".

Intenté barrer casi todo el teclado con mis dedos: funcionó una especie de limpiaparabrisas, brotó un chorro de desodorante de ambiente que me dio en la cara, mi asiento subió hasta el techo y luego cayó como un plomo, se escuchó cantar *"Happy birthday to you..."*, una pantallita informó sobre los resultados del béisbol en Túnez y no recuerdo cuántas cosas más.

–¡Nos estrellamos! –volvieron a gritar en el salón principal, y así parecía: tan cerca vi el suelo del planeta que esperando el impacto se me cortó la respiración. Marcia me miraba aterrorizada. Quise dar un manotazo al botón que había elegido ella. De los nervios le pegué a otro cercano. "Si desea tomar clases de bridge con el método del profesor Lajes Smidsh, adecuado para alguien que hace sus primeros pasos en este maravilloso juego, no tiene más que volver a oprimir este botón...", dijo una voz cantarina. Nos tiramos sobre el tablero y caímos sobre el botón cuadrado...

Escuchamos un fuerte rugido y una fuerza invisible nos aplastó contra el piso: eran los motores de descenso que empezaron a funcionar.

De los caños que sobresalían en la panza de la nave salieron potentes chorros de aire, creando un colchón que amortiguó el contacto con la superficie del planeta.

Hubo un segundo, como un siglo, durante el cual quedamos paralizados, esperando no sé qué confirmación de que efectivamente no nos habíamos estrellado. De pronto volvimos a respirar y enseguida estábamos gritando y saltando como locos, los dos abrazados. Corrimos atropelladamente al salón principal a ver a nuestros compañeros. Nos impresionó verlos como estatuas, todavía con los ojos cerrados y los dientes apretados, preparados para el golpe contra el planeta.

—¡Milagro... milagro! —gritó de pronto la abuela.

—¡... Sabía... yo sabía que nos íbamos a salvar! —gritó el señor Piero N. Mastrángelo.

—Bzzz... bzzzzz bzzz —vibraban eufóricos los plutonianos.

Después de mucho festejar se nos ocurrió bajar de la nave. No quiero estropear los planes del lector que pensaba dejar la lectura en este punto pero, no puedo ocultarlo... ¡nos esperaba una horrible sorpresa!

* * * * * * * * * * * * * * * * * * * *

𝓟ERDIDOS EN "NADA"

* * * * * * * * * * * * * * * * * * * *

* * * * * * * * * * * * * * * * * *

Aturdidos por nuestros propios gritos y exclamaciones de alegría descendimos por la escalerilla de la nave. ¡Estábamos vivos! A último momento habíamos conseguido eludir una muerte segura.

Sin embargo fuimos enmudeciendo a medida que mirábamos a nuestro alrededor: adonde quiera que la vista se posara no había nada ¡nada! Nos encontrábamos parados sobre una planicie interminable en la que no se veía siquiera un pastito o una partícula de polvo.

Y más allá, en el horizonte, la única presencia era la del resplandor de un sol cercano que descontábamos no era el de la Tierra porque de nuestro planeta nos distanciaban millones de kilómetros. De éste, al que nos había llevado un accidente, lo desconocíamos todo. Marcia y yo decidimos llamar "Nada" al planeta que primero nos había dado la alegría de salvarnos y que ahora parecía conducirnos a la peor de las muertes.

—Sí, ese es el nombre más apropiado —dijo el Locósmico.

Permanecimos varios minutos mirando hacia uno y otro lado. En cierto momento el señor Piero N. Mastrángelo salió corriendo trabajosamente. Luego lo vimos detenerse y mirar en todas las direcciones poniéndose una mano como visera. Enseguida regresó junto a nosotros, cabizbajo. Mirara hacia donde se mirara se repetía la misma nada.

—Moriremos —dijo—. Yo había dicho que no nos salvaríamos.

—Bueno, debemos organizarnos. Racionar la comida y la bebida para aguantar lo más que se pueda. Hay que registrar la nave y apartar todo lo que pueda servir —propuso el hombrecito de Gamonius, que en las situaciones difíciles parecía agigantarse.

—Es cierto, no debemos desesperar —le dio la razón el señor Mastrángelo.

Casi una hora estuvimos buscando alimentos en el interior de la nave. Encontramos algo de carne de vaca terrestre, costillas de ciervo volador de Neptuno, lechuga de mar de Júpiter, sopa natural de Plutón, leche en polvo y fideos metálicos de los que comía el Locósmico. Contábamos, además, con las frutas que llevaba yo, las golosinas que guardaba en su cartera la abuela de Marcia y las bebidas que estaban en los refrigeradores de la nave. En total, calculamos, comiendo muy poco por día nos alcanzaría para una semana y media o dos. En ese tiempo debía auxiliarnos alguien o ocurriría lo peor.

También nos organizamos para dormir dentro de la nave, acomodando los asientos como camas y utilizando nuestra propia ropa y algunas toallas como mantas.

Cuando terminamos con eso propuse algo que despertó la admiración de todos y en especial deslumbró a Marcia, que no pudo disimular su asombro: mi idea era que escribiéramos en el suelo del planeta con letras gigantes de miles de metros, la palabra "socorro", en distintos idiomas cósmicos. Quizás la leyera algún piloto de un ómnibus espacial que pasara cerca o la avistara con su telescopio un astrónomo que estuviera explorando el espacio.

Desgraciadamente no había con qué escribir lo que yo proponía. Pero la idea era buena y, en fin, Marcia me miró como diciéndose: "¡Qué tipo increíble!"

Al anochecer nos reunimos en el salón principal de la nave. Hablaban todos a la vez, nerviosos. Cada uno proponía algunas ideas para salvarnos pero a los demás invariablemente les parecían descabelladas o por lo menos irrealizables. Por otra parte, no conocíamos de electrónica, no entendíamos sobre el manejo de los equipos de comunicación que había a bordo y menos todavía sobre los mecanismos de funcionamiento de la nave. Nos esforzábamos por parecer optimistas pero en nuestras expresiones el pánico era evidente.

"La única salvación es que yo acierte con los botones apropiados y haga funcionar este trasto", pensé. Sigilosamente fui desplazándome hacia la cabina de mando, lugar que teníamos prohibido visitar Marcia y yo, según habían dicho todos los "grandes" (incluido el chiquitín de Gamonius), cuando se organizó cómo viviríamos allí.

Nuevamente me paré ante el tablero de mando con sus incontables botones.

Oprimí uno verde que tenía como gotitas pintadas.

Escuché un gran griterío en la sala principal. "Debemos estar despegando de este maldito planeta, por fin", pensé. Pero no: era el mecanismo de lavado interior de la nave. Salían chorros de agua de todos los rincones. Mis compañeros de viaje andaban a los saltos, entre la lluvia y las pompas de jabón.

Accioné un botón que estaba pegado al anterior. Esta vez acerté: era el de "secado".

Miré por la ventanilla: estaba saliendo aire caliente a toda máquina. Debía haber bastante temperatura allí porque observé que el señor Piero N. Mastrángelo se sacaba la camisa y transpiraba a mares. Decidí postergar estos intentos para otra oportunidad.

—¡Pasan cosas increíbles en este lugar! —se quejaba desesperado el Locósmico.

—Moriremos, moriremos —repetía el señor Mastrángelo. Marcia se acercó a mí y me dijo al oído:

—¡Idiota!

—Escúchame, yo...

—¿Qué?

—¿Cómo sabías lo del botón de descenso?

—Es que soy bruja —me respondió, sonriendo y masticando chicle a velocidad supersónica.

Esa noche tuve miedo. Dormíamos cada uno en nuestro asiento y, salvo los ronquidos del señor Piero N. Mastrángelo, no se escuchaba absolutamente nada. Además, como el planeta carecía de un satélite natural como la luna, la noche era de una espesa negrura. Permanecí recostado en mi asiento vuelto hacia el interior de la nave pero sin poder evitar cada tanto el dirigir la vista hacia la ventanilla, hacia la oscuridad.

—¿Atemorizado? —me preguntó el Locósmico.

—No. No tengo miedo —respondí, avergonzado.

—¿De verdad? —insistió.

—¡Pero no! ¿Miedo? Un poco, nada más.

—Bueno, entonces te voy a contar un cuento. Los cuentos son el mejor remedio para el miedo.

—¿Puedo escuchar yo también? —era Marcia que vino a sentarse junto a mí.

—¿Y yo? —preguntó su abuela.

—Claro, venga, acérquese —le contestó sonriente el Locósmico.

—En fin, ya que estamos, también yo voy a escuchar el cuento —dijo el hombrecito de Gamonius y se sentó en el suelo al lado de la anciana.

—Pero claro, querido —le dijo la abuela, acariciándole la cabeza dulcemente. El hombrecito la miró furioso y se corrió unos centímetros fuera del alcance de sus manos. La anciana sonrió comprensiva, pensando seguramente en lo curioso que es el comportamiento de los niños.

"Había una vez un viejo Locósmico, enorme y arrugado, que quería aprender a volar como los pájaros...", empezó a contar el Locósmico.

Cuando terminó el cuento, la anciana dormía plácidamente y los que continuábamos despiertos le pedimos que contara otro.

"Había un vez un Rey de la Tierra que quería casar a su hija con un hombre feo y cruel. Ella, en cambio, estaba enamorada del hijo del zapatero de la Corte...", comenzó a narrar el Locósmico y Marcia y yo nos miramos, sonrojándonos. Cuando llegó al final de la historia sólo quedábamos despiertos ella y yo y, bostezando, le pedimos un nuevo relato. Contó entonces el comienzo de una fábula cuyos personajes eran animales de Neptuno, pero no llegamos a escucharla completa. Nos dormimos.

A la mañana nos esperaba otra sorpresa.

Desperté, todos despertamos, con los gritos del señor Piero N. Mastrángelo.

—¡Miren eso! ¡Miren eso! —gritaba como loco.

Abrí los ojos, sobresaltado. Tenía la sensación de estar en mi casa, en la Tierra, durmiendo en mi cama. Incluso por un momento creí que se me hacía tarde para ir a la escuela. Por fin, desperté totalmente: había un gran revuelo en la nave. Todos estaban mirando a través de la ventanilla. Me abrí paso como pude y logré asomarme. Fuera de la nave, a unos diez metros, había... ¡una cama!

Era una cama igual a cualquier cama, con mantas, almohada y colcha. Sólo que era extraordinario que estuviera allí, porque todos sabíamos que en la nave no traíamos ninguna. ¿Qué hacía ahí una cama? ¿Cómo había aparecido? —nos preguntábamos.

Antes de descender, nos cuidamos bien de mirar hacia todos lados para ver si avistábamos a quienes la habían traído. Pero no se veía nada ni nadie, de modo que bajamos lentamente y rodeamos a la "aparición". Ninguno se animaba a tocarla, hasta que lo hizo Marcia, burlándose de los demás.

—¡Es una cama, qué tanto misterio...! —dijo.

—Sí, pero ¿quién la trajo? —preguntó el señor

Piero N. Mastrángelo, secándose la transpiración.

—Y yo qué sé. Nadie. No la trajo nadie. Apareció.

—No hay huellas. No hay ni el más mínimo rastro de quien la haya traído —comentó el pequeñín de Gamonius—. Como si hubiera aparecido sola...

—Tiene que haber alguien por allí. Alguien debió traerla hasta acá... no sé —dijo el Locósmico.

—Bueno, quienquiera que haya traído la cama, si es que alguien lo hizo, está claro que no nos quiso atacar ni hacer ningún daño —razonó la anciana.

—La señora tiene razón —dijo el hombrecito de Gamonius.

—Claro, mi amor, no hay de qué preocuparse. Ustedes vayan a jugar, ¿eh? ¡Marcia! ¡Lleva a jugar al nene!

—¡Abuela, basta, no es un nene!

—Y ustedes dos —siguió la abuela, señalando al señor Mastrángelo y al Locósmico—, será mejor que vayan a hacer una recorrida, a ver si alejándose de aquí alcanzan a ver algo. Al fin y al cabo no nos hemos movido de acá. Ustedes vayan que mientras tanto nosotros nos vamos a organizar para la comida y la limpieza.

—Yo voy con ellos —se apuró a gritar Marcia.

—¡Y yo! —dije.

—También yo voy a ir —apuntó el hombrecito.

—Está bien, está bien, vayan los tres —dijo la abuela.

Caminamos y caminamos sin ver nada. Como todo era igual en cualquier dirección que se mirara, era imposible orientarse. Se nos ocurrió entonces utilizar un recurso de los cuentos infantiles: ir dejando señales en el suelo que nos marcaran el camino de regreso. Lo único con que contábamos para eso era nuestra propia ropa, de modo que fuimos dejando en el suelo cada 400 o 500 metros, una campera, un pullover, una zapatilla, una camisa.

Para cuando habíamos caminado tres o cuatro horas, ya no quedaba nada que nos pudiéramos quitar sin pasar vergüenza. Por suerte el suelo era tan plano como para que las cosas utilizadas como señales pudieran ser vistas desde lejos. Además el Locósmico, como todos los de su planeta —según nos explicó—, tenía ojos como pequeños telescopios que le permitían ver cosas diminutas a una distancia mucho mayor que la que permitía nuestra vista.

Justamente, encabezando el grupo iba el Locósmico, e inmediatamente después, dando grandes zancadas y agitado por tener que acarrear su panza gigante, iba el señor Piero N. Mastrángelo. Unos metros más atrás marchaba el hombrecito de Gamonius, que para mantenerse cerca de los otros dos estaba obligado a trotar y por momentos a correr con toda la potencia de sus fuertes piernitas.

Marcia y yo nos fuimos quedando retrasados, por lo que cada tanto uno de los tres se daba vuelta y nos gritaba que apuráramos. En verdad, no teníamos mayor prisa. Íbamos muy entretenidos contándonos cosas de nuestros países: ella vivía en Méjico y yo en Argentina. Me contó detalladamente cómo eran cada uno de sus amigas y amigos. Como nombró varias veces a uno que era jugador de básquet, pronunciando su nombre con cierto tono de deleite, le tuve que preguntar:

—¿Es tu novio?

—¿Mi novio? No, no —me respondió. Pero noté cierta duda en la contestación, así que agregué:

—Los jugadores de básquet son todos idiotas.

—Éste no, es fantástico. Y muy inteligente.

Después me contó sobre los juegos que le gustaban. Por supuesto se trataba de esos juegos que tanto divierten a las mujeres, en los que no hay que patear ni romper nada sino hablar, cerrar los ojos, oler, leer o cosas así.

Por mi parte le dije que yo no jugaba a nada y que personalmente (usé la palabra "personalmente") ya no sentía ningún interés por los juegos de niños... ¡Y bueno! ¿Qué le iba a decir? ¿Que todavía me gustaba jugar con los juguetes de mi hermano más chico? Pero sí le conté sobre la vez que tuve que enfrentar —solo— a cuatro de otro colegio (eran dos y uno de ellos, que no tendría más de ocho años, llevaba una pierna enyesada).

También le conté sobre aquella vez que en un campamento en la montaña conseguí hacer fuego frotando dos piedras (eso era verdad pero fue lo que menos le interesó), y la vez que armé y desarmé una computadora de nave espacial, valiéndome solamente de un manual de instrucciones, cuyas explicaciones estaban escritas en japonés...

—Entonces, ¿por qué no arreglas nuestra nave? —me preguntó.

—Soy bastante olvidadizo. Es increíble: hago cosas geniales y enseguida olvido cómo las hice. Leí que eso mismo le pasa a muchos científicos.

—Bah.

Como ella pasó a contarme sobre una amiga

suya muy loca, tuve oportunidad de mirarla bien. Era muy flaca y parecía estar sonriendo siempre, aunque estuviera seria. La cabeza rapada le quedaba genial "¡Por los diez mil planetas! –pensé– ¡cómo me gusta esta chica! ¿Me estaré volviendo loco?"

–¿Qué te parece? –me preguntó.

–¿Qué cosa?

–¡Mi amiga! ¿Me estabas escuchando o no?

–Claro, por supuesto –le respondí–. Ah... yo también tengo un amigo medio loco. Pesa como cien kilos y es bailarín. El padre trabaja en una ciudad submarina cerca de Buenos Aires y a veces nos lleva con él en un submarinito familiar hasta el fondo del mar. Una vez casi chocamos con una ballena. Me gustas –dije.

–¿Qué? ¿Qué dijiste? –me preguntó, dejando de caminar.

Tardé unos segundos en darme cuenta de lo que había dicho. Cuando conseguí repetirme mentalmente las dos últimas palabras pronunciadas, me puse colorado y me empezaron a temblar las piernas. Quedé mudo.

–¿Qué es lo que dijiste? –volvió a preguntarme.

Hice un último intento de hacerme el distraído, pero en realidad mi lengua se negaba a hablar.

–¡Qué tarado! –dijo Marcia, y se rió. Después agregó:– A mí también me gustas. Podemos ser novios, ¿no?

–Y, sí, claro –me apuré a decir.

En ese momento se me ocurrió señalar al Locósmico y a los otros dos, que se habían alejado muchísimo.

–¡Corramos! –grité.

–Sí, vamos –gritó ella también y salimos. Debíamos estar los dos muy nerviosos porque corrimos como liebres atómicas atacadas de locura galopante.

Nos reunimos con los otros, justo cuando estaban decidiendo regresar. Ninguno había visto nada.

–¿Y ustedes?

–¿Nosotros qué? –pregunté asustado.

–Si vieron algo...

–No, ¡qué vamos a ver! –respondió Marcia.

–En este planeta maldito no hay nada ni nadie –afirmó el hombrecito, pegando con el puñito derecho en la palma de su mano izquierda.

–¿Cómo? ¿Y la cama? ¿De dónde salió? –le preguntó el señor Piero N. Mastrángelo, que sólo podía hablar gritando.

—¡Esperen! —gritó a su vez el Locósmico—. ¡Allá! Hay algo que se mueve. ¡Miren!

—No vemos nada. No se olvide que nosotros no vemos como usted —le dijo el hombrecito, fastidiado.

—Es como una manchita oscura, pero se mueve —nos explicó el Locósmico—. Corramos hacia allá, acerquémonos.

Corrimos hacia donde señalaba el Locósmico pero la verdad era que no veíamos nada. Hasta que nos detuvimos a descansar un momento.

—Es como una manchita negra que se mueve —volvió a decirnos el Locósmico.

—Sí, debe ser una cucaracha —dijo, incrédulo, el señor Mastrángelo.

—¡Maldición! —exclamó el Locósmico que seguía esforzándose por identificar eso que sólo él divisaba. Después empezó a reír a carcajadas. Enseguida nos pidió que lo esperáramos unos minutos y salió corriendo en dirección hacia donde estaba mirando.

—¡Espere! ¿Qué vio? —le gritamos, pero siguió corriendo.

—¡Lo que faltaba! —comentó el señor Piero N. Mastrángelo, que siguió sentado en el suelo, mirando para el lado contrario—. Está más loco que cuando empezó el viaje y más loco que todos los de su planeta juntos. Encima, ahora vamos a tener que ir a buscarlo a él.

—No. Esperemos —dijo Marcia.

Nos sentamos todos a esperar que regresara el Locósmico.

Al rato, vimos que volvía... acompañado. Quien caminaba junto a él era nada menos que ¡la azafata-robot!

—¡Nos habíamos olvidado de ella! —exclamamos.

—Seguramente estuvo caminando desde que llegamos. Con tanto lío no nos dimos cuenta de que faltaba ella —explicó sonriente el Locósmico—. La pudimos encontrar gracias a que prácticamente está sin baterías.

—¿Gus..ta..ser..vir..se..un..ca..fé? —balbuceó la azafata-robot.

La aplaudimos y le dimos un beso.

—Yo sé donde están guardadas las baterías —dijo Marcia—. Cuando lleguemos a la nave le colocamos una nueva.

* * * * * * * * * * * * * * * * * * * *

RUGIDOS EN LA NOCHE

* * * * * * * * * * * * * * * * * * *

* * * * * * * * * * * * * * * * *

Empezaba la segunda noche que íbamos a pasar en ese planeta desconocido. Después de cenar (una pizca de tomate terrestre, diez cucharadas de sopa de tortuga marciana y una minisandía), nos quedamos en una larga sobremesa opinando sobre la aparición de la dichosa cama, ocurrida esa misma mañana. Hasta el matrimonio de plutonianos hablaba, es decir, hacía zumbar sus antenitas, y acompañaba los comentarios con cantidad de gestos de sus cuatro brazos (cada uno).

La rareza de encontrarnos allí, la noche que agranda los miedos y hasta el temor de nuevas "apariciones", hacían que prolongáramos los comentarios demorando el momento de irnos a dormir. Al fin el señor Piero N. Mastrángelo decidió que dormiría en la cama, para lo cual nos pidió que lo ayudáramos a subirla a la nave.

La alzamos entre cinco. Aunque no pesaba más que cualquier otra cama, debido a su extraña procedencia la tratábamos con sumo cuidado, como si al menor golpe pudiera romperse o abrirse en dos permitiendo que de su interior brotaran alimañas cósmicas, líquidos raros, microbios desconocidos.

La colocamos cerca de la cabina de mando y allí quedó instalado el dormitorio del señor Piero N. Mastrángelo. Para nuestra envidia, antes de que nos retiráramos ya estaba él roncando plácidamente, olvidado, de paso, de la escasa comida de nuestra cena que personalmente lo afectaba más que a cualquier otro.

En realidad el problema del alimento nos tenía preocupados a todos, además de hambrientos. Quedaba comida como para varios días pero la habíamos racionado tanto que teníamos la impresión de que no comíamos desde hacía mucho.

Me acomodé en mi asiento dispuesto a dormirme lo más rápido posible. Traté de no pensar en nada relacionado con "Nada" ni con la nave, y menos con la noche, cuya negrura se extendía a partir de la ventanilla donde apoyaba mi cabeza. Apenas había cerrado los ojos cuando escuché que alguien se acercaba sigilosamente.

Me quedé quieto, sin poder gritar ni darme vuelta para mirar. Hasta que pude volverme bruscamente, aterrorizado... mejor dicho ¡preparado para contraatacar a quienquiera que se me viniera encima, hombre o monstruo!

—Soy yo, tonto —me dijo Marcia. Me dio un beso, me dijo hasta mañana y regresó a su asiento. Me dejó tan feliz que luego no conseguía dormirme. Tan contento estaba que no reparé en lo que estaba haciendo: estaba cantando.

—¡Justo ahora se te ha dado por cantar! —me retó el Locósmico desde su asiento.

Lo último que escuché, antes de dormirme, fue a la abuela de Marcia que, como era medio sorda, hablaba más fuerte que los demás:

—Esperemos que mañana nos aviste alguien —dijo.

—¡Shhhhhhhhhhhhhhh! —me desquité. Dejé un ojo a medio cerrar así que pude ver que todos se daban vuelta buscando al insolente. También se dio vuelta Marcia, sólo que ella sonreía.

A la mañana siguiente nuevamente fui despertado por exclamaciones de asombro. Hice un gran esfuerzo por abrir los ojos y alcancé a ver que todos mis compañeros estaban agrupados junto a las ventanas opuestas a la mía, haciendo gran alboroto.

Me incorporé de un salto y corrí junto a ellos.

—¿Qué es eso? —escuché que preguntaba una y otra vez el hombrecito de Gamonius.

—Como si se estuvieran burlando de nosotros —comentó el señor Piero N. Mastrángelo.

—¿Será un milagro? —preguntó la abuela.

Abriéndome lugar a codazos pude meterme a través del grupo compacto que formaban y asomarme a la ventana. Lo que vi era increíble. Frente a nosotros se levantaba ahora un imponente y lujoso restaurante.

Era sorprendente: sólo un restaurante con su nombre escrito en letras de colores ("Restaurante Vermichelli"), el apetitoso aroma a comida que llegaba hasta el interior de la nave y las mesas dispuestas con manteles blancos. Alrededor de la edificación, nada. Absolutamente nada.

—¡Esperen! —gritó de pronto el señor Piero N. Mastrángelo. Nos callamos y lo miramos.

También él se mantuvo mudo un segundo, tragando saliva y rascándose la nuca. Algo importante pasaba por su cabeza. Luego se puso a reír nerviosamente.

—¿Qué pasa? —le grité, logrando despertarlo.

—No, es que... bueno ¡no puede ser! ¡Sencillamente no puede ser!

—¿"No puede ser", qué? —le preguntamos intrigados.

—Ya sé... esperen, esperen un segundo —nos respondió, y salió corriendo hacia afuera.

Vimos que descendía de la nave e iba directamente hacia el restaurante.

—¡Que no se acerque! Le puede pasar algo... —dijo la abuela de Marcia.

El señor Mastrángelo completó toda una vuelta alrededor del restaurante se detuvo un instante en la entrada, y luego regresó corriendo hacia nosotros.

—¡Es increíble, es increíble! —repetía con una estúpida sonrisa mientras se acercaba.

—¿Es increíble QUÉEE? —quisimos saber.

—Que anoche... bueno ¡soñé con este restaurante!

—Debe ser casualidad —señaló el hombrecito.

—¡No! Era igual a éste y se llamaba también "Vermichelli". Les cuento: en el sueño yo me sentaba ante la mesa en la que había manjares de todo tipo, vinos riquísimos y los mejores postres. Yo devoraba todo a la vez, como cuando era niño —se sonrojó—, en fin, aún lo hago en algunas oportunidades. Bueno, estaba solo en la mesa y tomaba una pata del pavo sin utilizar cuchillo ni tenedor, mientras con la otra mano metía los dedos en el postre y comía y comía. Espero que los niños no tomen este ejemplo.

—Quédese tranquilo, señor Mastrángelo —le dije.

—Gracias. Hasta recuerdo un detalle curioso del sueño: los cuadros colgados en las paredes del restaurante eran pinturas que me mostraban precisamente a mí, en distintas poses, comiendo tal como estaba comiendo en ese momento.

—No puede ser —dijo el hombrecito.

—Vayamos a ver. Es lo mejor —dijo el Locósmico. De pronto, por curiosidad o por hambre, nos lanzamos atropelladamente por la escalerilla de la nave.

Marcia fue la primera en llegar hasta la puerta del restaurante. Se asomó, volvió hacia nosotros y gritó:

—¡El gordo tiene razón, el gordo tiene razón!

Efectivamente, vimos la mesa servida con las comidas que había descripto el señor Mastrángelo y los cuadros en las paredes en los que estaba representado él mismo, llenándose la boca de comida tan elegantemente como el menos educado de los cerdos.

—¿Pero qué significa todo esto? —se preguntaron nuevamente el hombrecito y el Locósmico.

—Es lo que les explicaba antes. Es igual a mi sueño. Este restaurante lo soñé yo. Aquí estuve cenando durante mi sueño.

—Sí. Que lo haya soñado no se lo discuto —dijo el Locósmico—. Lo que no puedo entender es cómo está acá, hecho realidad.

En la misma puerta del restaurante continuó la discusión. Por mi parte, más que averiguar las razones de esta nueva aparición misteriosa, lo que quería era sentarme a comer.

—Perdonen la interrupción —les dije—. Pero ya que estamos aquí por qué no pasamos de una vez y almorzamos antes de que llegue más gente y nos quedemos sin mesa.

—Es cierto. ¡Dios mío! ¿Qué estamos esperando? —gritó el señor Mastrángelo y se lanzó sobre la mesa como un jugador de rugby, resuelto a comer desesperadamente tal como había hecho durante el sueño de la noche.

Nos dimos una gran fiesta, un alegre almuerzo, como si hubiéramos estado allí por un viaje turístico y no por un desgraciado accidente cuyas consecuencias finales ni siquiera imaginábamos. Cuando terminamos apenas podíamos movernos. Haciendo un gran esfuerzo emprendimos la tarea de recorrer las instalaciones del restaurante. Había de todo: enormes refrigeradores con reservas para mucho tiempo, una bodega atestada de bebidas de todos los planetas y una gran despensa con comida enlatada y fiambres.

El único que no miraba deslumbrado toda esa riqueza era el Locósmico. "Yo jamás hubiera soñado con esto", comentó mientras recorríamos. No obstante, él, que comía metales, jamás pasaría hambre. Solamente con la puerta de una de las heladeras podría alimentarse durante semanas.

Por un buen rato nadie volvió a referirse a las apariciones ni a la casualidad de que el señor Mastrángelo soñara con el "Vermichelli". Paseamos —al menos ahora había un lugar adonde ir a tomar jugos y gaseosas y así fue anocheciendo.

Tras la cena, nuevamente tuvimos que ayudar al señor Mastrángelo a acarrear la cama, esta vez al restaurante. Había decidido dormir allí para "cuidarlo". Algunos nos quedamos levantados, en tanto el hombrecito y la abuela se fueron a dormir enseguida.

—Yo no debo cenar tanto. Cuando como mucho durante la cena luego tengo pesadillas —se quejó la anciana mientras se acomodaba en su asiento. Poco después escuché su respiración acompasada. Se había dormido.

Nos quedamos jugando a un juego inventado por el Locósmico. Aunque nadie hizo ningún comentario relacionado con eso, noté que cada tanto alguno de nosotros miraba hacia afuera con cierto nerviosismo. Quizás nuestros temores tuvieran que ver con la oscuridad que rodeaba a la nave, con la noche y esas extrañas apariciones y, sobre todo, con el miedo de que continuaran sucediendo esas cosas inexplicables.

Cerca de la medianoche los plutonianos hicieron vibrar sus antenas comunicándonos que también ellos se retiraban a dormir. A esa altura, después de tanto observarlos ya entendíamos gran parte de sus zumbidos aunque de todas formas nos seguía siendo dificultoso "seguir" la gran cantidad de gestos que podían hacer con sus cuatro brazos. Simultáneamente podían representar el gesto de que habían visto manzanas enormes en el restaurante, que habían traído una para cada uno, que el día había sido espléndido y que éramos muy amables todos. Atender a todo eso era como ver cuatro películas a un tiempo.

Los plutonianos preferían dormir en las "habitaciones", como llamábamos a los pequeños compartimentos separados por bloques de plástico que habíamos encontrado en un sector de la nave donde normalmente iba el equipaje. En las habitaciones se dormía en el piso, sobre toallas y ropa que hacían de colchón. Varios seguíamos optando por reclinar los asientos y dormir en ellos.

En cierto momento, cuando más enfrascados estábamos en el juego, escuchamos un escalofriante rugido que nos dejó paralizados del susto.

—¿Qué fue eso? —preguntó Marcia tomándose de mi brazo.

—Me pareció un rugido de animal —contestó el hombrecito de Gamonius castañeteando los dientes.

Enseguida se escuchó otro rugido terrible

al tiempo que se sacudía la nave. Otro poderoso golpe en la parte trasera nos hizo tambalear. Cuando las sacudidas cesaron, el Locósmico corrió hasta la cabina de mando y regresó con un potente reflector de mano.

Nerviosamente lo encendió y enfocó el haz de luz hacia afuera a través de los ventanales. Con horror seguimos el desplazamiento de la franja de luz esperando que de un momento a otro apareciera enfocado algún espantoso monstruo.

Pasaron varios minutos sin que avistáramos nada. Hasta que se escucharon gritos desesperados:

–¡Socorro! ¡Dios mío, ayúdenme!

Era la voz del señor Piero N. Mastrángelo que se había quedado a dormir en el restaurante. Hacia allí enfocó el reflector el Locósmico. La luz paseó por la puerta de entrada y los alrededores sin encontrar nada. Por fin, a través de la única ventana del restaurante, ubicamos al señor Mastrángelo. Estaba pegado al mostrador con expresión despavorida. Una pared nos impedía ver al animal que lo aterrorizaba, el cual debía estar a centímetros de él. El reflector del Locósmico se movió un poco y alcanzamos a ver un gran boquete en una de las paredes.

–¿Cómo pudo voltear una pared? –se preguntó el hombrecito de Gamonius–. Esa cosa debe tener una fuerza tremenda.

Vimos que el señor Mastrángelo conseguía retroceder unos centímetros y volvía a gritar:

—¡¡Socorro!!

Ahora, en el rectángulo de la ventana aparecía una gran garra peluda dando manotazos que casi rozaban la cara del señor Mastrángelo. Éste retrocedió otro paso pero ya no podía seguir pues allí había otra pared. Entonces sí vimos al monstruo.

Cuando la bestia estuvo al alcance de nuestra vista retrocedimos espantados, como si estuviéramos en el lugar del señor Mastrángelo. Era una horrible criatura de tres o cuatro metros de alto, de color negro con algunas partes blancas. De su enorme boca babeante sobresalían colmillos grandísimos y entre éstos flotaba una larga lengua partida en dos. Parecía un animal prehistórico, sólo que su cabeza demasiado grande para su cuerpo le daba cierto aspecto absurdo, como si hubiese sido dibujado por un historietista. Para avanzar levantaba exageradamente sus patas descomunales que, como ventosas, parecían adherirse al piso.

Vimos cómo el animal destrozaba con facilidad el mostrador y el señor Mastrángelo se cubría la cara, aterrorizado. El monstruo abrió más aún sus grandes fauces dispuesto a tragárselo.

–¡No! –gritó Marcia, cubriéndose también ella sus ojos.

En un último intento desesperado el señor Mastrángelo tomó una bandeja con porciones de tortas que había caído del mostrador y se la tiró encima. El monstruo me había parecido de historieta y ahora el recurso del señor Mastrángelo me parecía de las viejas películas cómicas del siglo XX. El impacto de la bandeja por cierto no le hizo ningún daño a la fiera, pero al menos por unos segundos se estuvo relamiendo con lo cual le permitió al señor Mastrángelo efectuar otra maniobra inteligente: se paró sobre una silla y descolgó un jamón.

Tiró el jamón junto a los restos de torta. La fiera lo devoró gustosa pero para cuando terminó y alzó la vista hacia el señor Piero N. Mastrángelo, éste ya había abierto la puerta de la heladera y desde allí le arrojaba carne cruda, verdura, postres. Era comida como para un ejército completo, pero el animal parecía no quedar nunca satisfecho.

Hasta que la heladera quedó vacía.

El señor Mastrángelo, acobardado, indefenso, vio acercarse al monstruo y alzó la vista hacia la nave, hacia nosotros, como despidiéndose para siempre.

Recién allí salimos de nuestra sorpresa y corrimos en su ayuda, aunque estaba claro que nada podríamos hacer contra la fuerza de ese monstruo. Cuando llegamos a la puerta del restaurante el animal se estaba relamiendo a un paso de lo que se había reservado para postre: el gordo señor Mastrángelo.

La fiera alargó su horrible cuello y puso su cara abominable junto a la de nuestro amigo, quien cerró los ojos en espera del mordisco final.

Sin embargo, el monstruo pasó su cabeza por el hombro del señor Mastrángelo fregándose una y otra vez, como si le hiciera una caricia de agradecimiento. Sorprendidos, también vimos que movía la cola en un gesto perruno de felicidad.

Inmediatamente se dio vuelta (apenas alcanzamos a tirarnos al costado para impedir que nos aplastara), y se marchó perdiéndose en la noche con sus bestiales trancos que hacían chasquidos de ventosa contra el suelo.

El señor Mastrángelo tardó más de media hora en reponerse. Además del susto, tenía dolorido el hombro en el que el monstruo le había hecho su dulce caricia de agradecimiento.

Nos quedamos despiertos toda la noche dentro de la nave, asegurando las puertas y armándonos con maderas y caños que nos podían servir de defensa... Por las dudas, también preparamos una montaña de comida. Tantos preparativos despertaron a la abuela de Marcia, que se levantó y vino junto a nosotros.

—¿Por qué no tratan de hacer menos barullo? —se quejó, tirándonos de la oreja al mismo tiempo al hombrecito de Gamonius y a mí.

—¡Señora, cómo se atreve...! —se enojó el hombrecito.

—¡Abuela! —la reprendió Marcia.

—No me dejan dormir —volvió a decir la anciana—. Encima, tuve una pesadilla horrible: soñé que un monstruo venía a comerse todo lo que hay en el restaurante.

Quedamos helados, mirando a la abuela de Marcia.

—¿Qué sucede? ¿Por qué me miran así?

Todo el día siguiente anduvimos preocupados, mirando a cada momento en dirección hacia donde había huido el monstruo. Marcia y yo teníamos órdenes de no salir si no era acompañados por un mayor. Cuando llegó la noche se organizó una guardia de dos personas por turno, que se renovaban cada dos horas, cuya función era permanecer ante los ventanales observando hacia el exterior. Aunque la verdad era que nadie dormía excepto la abuela, porque no se había enterado de la existencia del monstruo, y el matrimonio de plutonianos, ya que no encontramos la manera de hacerles saber lo sucedido.

Durante horas tratamos de entretenernos con juegos o revistas pero en verdad estábamos esperando que en cualquier momento se produjera algún terrorífico estruendo o apareciera el monstruo.

—¡Miren, miren! ¡Aquí esta! —gritó de pronto Marcia y casi morimos del susto. A través de las ventanas no se veía nada...

—¡El monstruo! ¡Aquí está! —volvió a gritar Marcia.

—¿Nos ataca? ¡Nos atacaaaaa! —gritó a su vez el señor Piero N. Mastrángelo mientras intentaba ocultar su enorme cuerpo detrás de un asiento.

—No, no, no, quiero decir que está acá, en la revista —explicó suavemente Marcia. Me acerqué a ella con ganas de hacer que se tragara todas sus hojas.

Se la quité de un manotazo.

—¡El monstruo! —exclamé—. ¡Es igualito! —En una de las historietas había un monstruo idéntico al que habíamos visto la noche anterior en el restaurante.

—Esta revista la estuvo leyendo mi abuela ayer a la tarde —explicó Marcia asombradísima.

—Es increíble —murmuró el Locósmico.

—¿También ella habrá soñado...? —empezó a preguntar el hombrecito y no completó la frase.

—Igual que el sueño de la cama —dijo Marcia.

—Sí, es igual que el del restaurante. Menos mal, pensé que a mí solo me podía ocurrir eso —agregó el señor Mastrángelo, que parecía ahora más repuesto y podía hablar y mirar la revista—. No hay duda, es el mismo monstruo: la cabeza, los pelos, las garras, todo. Entonces, ¡Dios mío! Los sueños, lo que uno sueña mientras duerme luego se hace realidad —agregó con expresión sombría.

—No nos apresuremos. Hasta ahora parece ser así, pero a lo mejor son coincidencias, no sé... —trató de tranquilizarnos el pequeñín.

Nos quedamos un momento en silencio. De pronto me vino a la mente la posibilidad de algo espantoso. Le pregunté a Marcia, casi desesperado:

—¿Tu abuela siempre sueña cosas así? Quiero decir, ¿tiene pesadillas muy a menudo?

—Sí. Ay, sí. Sueña con animales horribles, muebles que hablan, insectos asesinos y todo eso.

—¡No hay que dejar dormir a la vieja! ¡No hay que permitir que duerma! —grité, y salí corriendo a despertarla.

—¡Espera un momento, Bruno! —me llamó el Locósmico, pero ya nada me detenía.

* *

UNA EXCURSIÓN PELIGROSA

* *

* * * * * * * * * * * * * * * * * * *

Era muy tarde cuando decidí irme a dormir. Antes de hacerlo, mientras estaba acostado con los ojos cerrados, repetí mentalmente: "no tengo que soñar, no tengo que soñar". Al despertar en la mañana comprobé dos cosas: la primera, que durante la noche no había aparecido el monstruo; la segunda, que a pesar de haberlo repetido tanto, efectivamente había soñado. Y lo había hecho con algo increíble: que Marcia me besaba. No recordaba del sueño más que eso.

¡Por los diez mil planetas! ¿Se haría realidad ese sueño? Si era así, ¿tendría que besar a Marcia? ¿O lo haría ella conmigo como había ocurrido en el sueño? Además, ¿cómo era eso de besar? Jamás lo había hecho a pesar de que en el colegio conté cierta vez una historia... en fin... ¡Qué miedo me daba la posibilidad de que sucediera de verdad!

Todo ese lío pasaba por mi cabeza mientras permanecía en el sillón con los ojos aún cerrados y la decisión de que no me incorporaría por varios días hasta que pasara el efecto del sueño.

—¡Eh! ¡Despierta! Vamos a jugar a algo, estoy cansada de esta nave y todo este asunto de no salir —oí que me decía Marcia al oído. Casi me desmayo del susto.

—Este... no, no, creo que no voy a tener ganas de jugar en todo el día —le respondí tartamudeando, al tiempo que me preguntaba: "¿me besará ahora?"

—Bueno, entonces vamos a caminar. Levántate, sé bueno.

—Es que, ya sé: ¡me duele la pierna! Hace años que una sola pierna no me dolía tanto. Siento como si fueran varias piernas quebradas. Quiero decir que siento un dolor tan grande como el dolor de muchas piernas hechas añicos si alguien sumara...

—¡Ufa! Si no quieres venir conmigo no lo hagas. Me voy a caminar. Si me pierdo, es culpa tuya, ya lo sabes.

"¡Me comporté como un idiota!", pensé.

—¡Marcia! —la llamé.

—¿Qué?

—No vayas. Nos dijeron que no debíamos salir de la nave. Puede aparecer el monstruo.

—Voy igual.

"¿Y lo del beso? No pasó nada", me lamenté. "Mejor voy con ella", decidí al fin, pero cuando estaba presto a salir, Marcia regresó corriendo. Desde la puerta de la nave me pidió a gritos que la siguiera, que acababa de ver algo increíble.

Salimos, tratando de que no nos vieran desde el restaurante, donde estaban los demás.

Lo que me llevó a ver era una bandada de pájaros rarísimos. Eran finos y alargados, con boca en forma de corneta y un par de antenas en la cabeza. Cada uno tenía dos pares de alas. Era un grupo como de diez o doce y volaban suavemente describiendo amplios círculos.

—¡Los plutonianos! —recordamos de pronto. Descubrimos que los pájaros tenían cierto parecido con la pareja de plutonianos.

Corrimos hasta el restaurante a buscarlos pero no estaban allí.

—Están de guardia en la cabina de la nave —nos explicó el Locósmico—. Pero ustedes, ¿qué hacen afuera?

No le dimos bolilla y fuimos en busca de los plutonianos.

Estaban dormidos, uno sentado frente a cada ventanal. Los despertamos pellizcándoles las antenas. Cuando abrieron los ojos (parecían dos lucecitas blancas) se avergonzaron, deshaciéndose en mil vibraciones de disculpas. Con mucho trabajo les hicimos entender que nos siguieran. No entendieron lo que tratábamos de decirles con gestos, pero cuando alzaron la vista y vieron a "sus" pájaros se sorprendieron muchísimo. La mujer, agitada, parecía explicarle algo sobre los pájaros al hombre. Después los dos sonrieron o al menos les brillaron los ojitos, y finalmente se abrazaron enredándose en el montón de brazos que tenían, sin dejar de mirar hacia arriba.

—No hay duda, a estos pajarracos los soñaron ellos —comenté.

—Cómo me gustaría soñar algo y que se convirtiera en realidad —suspiró Marcia—, pero yo no sueño cuando duermo, ¡qué lástima!

—Bueno, al fin de cuentas no es cierto que todos los sueños se hagan realidad en este planeta —le dije.

—Sí que se hacen realidad. ¿No ves estos pájaros? Y la cama, el restaurante, el monstruo...

—Sí, pero yo soñé algo y no pasó nada.

—¿Qué soñaste?

—No te puedo decir.

—¡Sí! ¡Quiero saber! Por favor.

—No, no puedo contarte mi sueño. Pero si se hace realidad vas a ser la primera en enterarte.

—¡Qué malo! Vamos, quiero que me cuentes.

—No, te dije que no.

—Ya sé: si me cuentas te doy un beso.

—¿Cómo? —pregunté, aunque había escuchado perfectamente y una voz por dentro me estaba diciendo: "animate, tarado".

—Que si me cuentas te doy un beso.

—Bueno, venga el beso —me animé.

—No, primero el sueño.

—Si no hay beso, no hay sueño.

—Está bien, tramposo....

Después, cuando la invité a ir a caminar ella aceptó encantada. Creo que estábamos los dos tan nerviosos que nos olvidamos del monstruo y de nuestro desconocimiento del planeta. Caminamos largo rato orientándonos con nuestras propias sombras: acordamos que marcharíamos siempre con la sombra delante. Íbamos charlando precisamente sobre cómo hablábamos.

Nos causaban gracia las diferencias. Ella reía cada vez que yo decía "apurate", en lugar de "apúrate", como dicen en su país. Ella decía "ven" y yo "vení", y a ambos nos parecía que quien hablaba incorrectamente era el otro. También enumeramos frutas, muebles, animales y distintas cosas que llevaban diferentes nombres en cada país.

—Y eso que los dos somos de la Tierra.

—Sí.

—Bruno....

—¿Qué?

—¿Y si nos extraviamos?

—Como Hansel y Gretel.

Fue en ese momento cuando se me ocurrió mirar hacia atrás. La nave ya no se veía.

—Mejor volvamos, ¿eh? —propuso Marcia, atemorizada.

—¡Justo ahora vamos a volver! ¡Ni loco! Sigamos —me envalentoné.

Seguimos como una hora más y luego nos sentamos a descansar.

—Me gustaría ver dónde termina esto —dije.

—¿Será redondo como la Tierra?

—Para mí "Nada" es plano, como una mesa.

Fue justamente en ese momento, cuando terminaba de pronunciar "mesa", que vi una cosa oscura que venía moviéndose hacia nosotros.

—¡Allá, Marcia! —señalé espantado.

—¿Qué es? —preguntó Marcia y un segundo después agregó—: ¡El monstruo! —y comenzó a correr desesperada. También yo distinguí perfectamente al monstruo y corrí junto a ella.

Corrimos sin parar un buen trecho, hasta que las piernas ya no nos respondían. Ni siquiera perdimos un segundo en mirar hacia atrás, para ver si el monstruo nos seguía. Hasta que tuvimos que detenernos a tomar aire porque no dábamos más. Estaba a punto de caer extenuado cuando giré un poco la cabeza y lo vi: venía a cinco o seis metros de nosotros.

—¡El monssstruoooooooooooooo! —grité enloquecido y no sé de dónde los dos sacamos fuerzas para seguir corriendo.

Nuestra carrera era cada vez más lenta y podíamos escuchar perfectamente las zancadas del monstruo, con sus patas de ventosa, marchando detrás de nosotros.

Muy pronto quedamos rendidos. Nos dejamos caer, agitadísimos, sin siquiera poder decir en voz alta lo que los dos estábamos pensando: "¡Nos matará! ¡Nos comerá crudos!"

El resto de fuerzas que nos quedaba lo usamos para abrazarnos y cubrirnos la cabeza para no ver al monstruo cuando se acercara y nos devorara.

Pasaron segundos, y hasta minutos, e increíblemente continuábamos vivos.

—Marcia... Marcia... —le susurré.

—Sí. ¿Ya nos mató?

—No, no nos mató. Todavía estamos con vida.

—¿Qué está haciendo?

—No sé, tengo la cabeza tapada.

—Yo también. Fíjate que hace...

—Sí.

—No hagas movimientos bruscos.

Comencé por abrir los ojos y alzar lentamente la cabeza. Pero no lo veía. Seguramente estaba detrás de nosotros, acechándonos, esperando no sé qué para devorarnos. Con movimientos más lentos aún giré la cabeza hasta que, de reojo, alcancé a verlo: ¡qué susto me di! Volví a cubrirme.

—Está acá, a nuestro lado —le dije a Marcia.

—¿Y qué hace? —preguntó, temblando.

—Nada. No sé, nos mira. Es horrible. Nunca vi nada igual.

—Tenemos que hacer algo.

—Lo único es volver a correr. Ahora que ya descansamos un poco... cuando diga "tres", salimos... uno.... dos... ¡tres!

Salimos disparados a toda velocidad. Jamás hubiera creído que pudiéramos correr de ese modo. Creo que anduvimos más de media hora sin parar.

—¿Lo ves? ¿Viene detrás? —me preguntó Marcia a gritos. Me di vuelta.

—¡Maldición! ¡Nos pisa los talones!

El temor de que nos alcanzara nos dio nuevos bríos, pero a los cinco minutos no dábamos más.

Volvimos a caer rendidos, seguros de que ahora sí nos comería. No teníamos fuerzas ni para quejarnos de nuestra desgracia. Esperé el ataque, pero éste no se producía. Cuando me calmé un poco, miré: el monstruo se había sentado a centímetros de nosotros y nos miraba con su expresión espantosa. Hasta podíamos sentir su asquerosa respiración agitada. Sigilosamente acerqué mi cara a la de Marcia. Casi sin hablar acordamos una nueva estrategia: esperar a que se durmiera.

Nos dormimos nosotros.

No sé cuantas horas habían pasado, pero cuando me desperté el monstruo seguía allí, sin golpearnos, agarrarnos a mordiscones ni nada. Desperté a Marcia.

—¡Éste es el monstruo más idiota que vi en mi vida!

—Cállate... ¿Sabes? ¡Qué increíble! Cuando me despertaste pensé que todo había sido un sueño. Justamente estaba soñando que detrás de nosotros estaba el monstruo...

—¡No! —grité, adivinando lo que había pasado. Miré hacia atrás y, efectivamente, ahora eran dos monstruos, idénticos.— ¡Me quiero morir, ahora son dos!

—¿Y qué hacen? ¿El que soñé yo cómo es?

—Son como dos gotas de agua. Y nos miran como idiotas.

—Es que nos están haciendo sufrir a propósito. Ahora se divierten mirándonos y después nos van a comer.

—¿En tu país son todos tan optimistas como vos?

—Se me ocurre una idea: movernos muy despacio, milímetros cada vez, sin que se den cuenta. Cuando estemos a cincuenta metros volvemos a correr.

—Está bien. Pero no hay que hacer ningún ruido, ni ningún movimiento brusco.

Comenzamos a deslizarnos. Un centímetro... otro..., sin siquiera pestañear. Eran movimientos tan suaves que parecíamos estatuas que las estuvieran arrastrando con una cuerda invisible. Mientras, yo pensaba: "nos salvamos... nos salvamos". Pero enseguida reparé en que los monstruos estaban haciendo lo mismo que nosotros. Se están burlando los malditos.

—¡Nos van a comer, Marcia! —le dije al oído.

—¡Bah! ¡Me cansé, qué tanto! ¡Qué se vayan al diablo! —dijo entonces Marcia y salió caminando tranquilamente.

—¿Estás loca? —le pregunté cuando pude alcanzarla.

En ese momento los monstruos se incorporaron y caminaron apurados hacia nosotros que, del susto, quedamos paralizados.

Se detuvieron a nuestro lado.

Volvimos a caminar. Ellos también.

Nos detuvimos. Lo mismo hicieron ellos.

No entendíamos nada pero retomamos la marcha. Caminamos largo rato sin cambiar una sola palabra entre nosotros.

Era una situación cómica: íbamos los cuatro en línea, como soldados, mirando al frente. Cada tanto Marcia y yo nos mirábamos de reojo; ellos, en cambio, seguían con cierto aire marcial.

Hasta que en determinado momento se me ocurrió algo:

—Quiero probar una cosa —le dije a Marcia.

Comencé a caminar saltando en un solo pie y golpeándome la nuca con la mano derecha. Le hice una seña a Marcia para que me imitara.

Con total tranquilidad y sin titubear un instante, los monstruos hicieron lo mismo.

Probamos caminando en cuatro patas y sacando la lengua; caminando hacia atrás y aplaudiendo, saltando como en el rango, haciendo un paso de ballet... En todos los casos nos imitaron perfectamente. Parecía que lo hubiéramos ensayado semanas enteras.

Llegamos a la nave caminando tranquilamente los cuatro. Los monstruos arrastraban los pies y se balanceaban como nosotros.

Cuando nuestros compañeros nos vieron llegar con los monstruos armaron un gran revuelo. A medida que nos acercábamos veíamos que iban preparando maderas, hierros, sillas, para atacar a los monstruos.

—¡Cuando les diga "¡Ya!" apártense corriendo! Métanse rápidamente en la nave que nosotros atacaremos a las bestias —oímos que nos gritaba el señor Piero N. Mastrángelo.

—¡Están locos! ¡Si llegan a atacar a nuestros monstruos los matamos a ustedes! —les respondimos furiosos. Y para reafirmar lo que decíamos, dimos una palmada en la espalda a cada monstruo. ¡Terrible error!

Cuando los monstruos repitieron ese gesto nos lanzaron como a diez metros. Los de la nave creyeron que nos atacaban, así que, encima, tuvimos que saltar a defender a las bestias.

Nos costó muchísimo convencer a nuestros compañeros de que a pesar de ser horribles, peludos y asquerosos, los monstruos eran buenos.

Finalmente, les trajimos comida: comieron como bestias. Cuando terminaron, nos acercaron sus cabezas descomunales, frotándolas contra nosotros en gesto de agradecimiento, y se marcharon. Caminando como nosotros.

* * * * * * * * * * * * * * * * * *

L A MUJER GIGANTE Y EL ÁRBOL DE LA SABIDURÍA

* * * * * * * * * * * * * * * * * *

* * * * * * * * * * * * * * * * * * * *

El planeta se fue poblando debido a otros sueños que se hicieron realidad después de la aparición del segundo monstruo.

Había, por ejemplo, una mujer de cien metros de altura que había sido soñada por la abuela de Marcia (aunque incansablemente le pedíamos que no durmiera). La Mujer Gigante, que llevaba sobre su vestido un pequeño delantal de treinta o cuarenta metros, todos los días a las nueve de la mañana, puntualmente, venía apurada cargando un gran canasto lleno de ropa recién lavada. Dejaba el canasto en el suelo e iba sacando una a una las prendas para colgarlas de una cuerda que estaba a no menos de 150 metros de altura.

Las camisas, pantalones y sábanas gigantes que sujetaba a la cuerda con enormes broches de madera, dejaban caer verdaderas cataratas de agua. Cuando terminaba de colgar la ropa la Mujer descansaba un instante apoyando las manos en la cintura, luego se secaba la transpiración de la frente con un pañuelito (grande como el telón de un teatro), tomaba el canasto y se marchaba tan apurada como había llegado. Al caminar apoyando los pies en lo que para ella eran charquitos de agua y para nosotros lagunas, arrojaba agua a doscientos o trescientos metros.

Al atardecer cuando la ropa ya estaba seca, la Mujer Gigante regresaba. Los de la nave, que teníamos el tamaño de uno de los dedos de sus pies, la mirábamos maravillados cuidándonos de no ponernos en su camino y de no ser arrastrados por las olas que provocaban sus pisadas.

Nos intrigaba hacia dónde iría después de recoger la ropa, pero seguirla era imposible: veinte de sus pasos eran suficientes para que se perdiera a lo lejos y dejáramos de verla. La Mujer Gigante era un sueño de la abuela de Marcia. Cuando apareció por primera vez, la anciana sólo recordó haber soñado con una mujer increíblemente alta que tendía ropa mojada. Luego de varios días recordó algo más: que de niña había visto una vieja película bidimensional del siglo XX, sentada en la primera fila del cine. Era la primera vez que la llevaban al cine y allí había visto a la mujer que colgaba la ropa. Gigante le había parecido aquella vez y así la había vuelto a ver en su sueño, setenta años después.

—¿En esa época se lavaba así? ¿Las mujeres lavaban la ropa en lugar de los robots? —quisimos saber.

—Sí, pero eso era hace mucho tiempo, por lo menos cuatrocientos años.

—Ajá, ¿entonces usted cuántos años tiene? —pregunté intrigado.

—¡Maleducado! ¡Qué niño maleducado! —se enfureció, no sé por qué motivo.

Otro de los sueños espectaculares que se hicieron realidad en aquel planeta fue el del río sin agua, donde una vez casi se ahogan los plutonianos y la azafata-robot.

Había sido un sueño del Locósmico y, para quien lo observara, era simplemente una zanja ancha y profunda, una especie de hendidura del suelo, como si antiguamente corriera un río por allí y luego se hubiera secado. Sin embargo, al mirar con mayor detenimiento podía verse una multitud de pequeños pececitos "nadando". Flotando como por sobre el aire los peces avanzaban agitando sus aletas cual si realmente hubiera agua. Sobre la "superficie" (sobre lo que se nos ocurría era la superficie del agua invisible) flotaban hojitas, palillos, que a veces comenzaban a girar como en un pequeño remolino igual a los que se producen en los ríos verdaderos.

Era maravilloso "sumergirse" en el río. Uno permanecía seco, pero las sensaciones eran las mismas que se tienen en el agua terrestre. Los pies avanzaban pesadamente cuando se enfrentaba la corriente y en cambio era muy placentero dejarse llevar en el sentido en que corrían las "aguas". Incluso se sentía la diferencia de temperatura entre el agua y el aire, aunque todo pareciera aire. Y si uno llegaba a sumergir la cabeza debía cerrar rápidamente la boca porque algo invisible comenzaba a entrar a borbotones y podía ahogarlo en segundos.

Lo increíble era poder "nadar". Se flotaba sobre nada, como en el espacio. Hacer la "plancha" en aquel río soñado por el Locósmico era como dormir sobre el aire, suspendido a cierta altura mientras al lado de uno pasaban cantidades de pececitos de colores.

El río estaba como a veinte cuadras de la nave y lo había descubierto casualmente el matrimonio de plutonianos y la azafata-robot una tarde en que andaban los tres paseando. De pronto habían caído en las aguas invisibles y, cuando pudieron salir, regresaron despavoridos al cosmobús.

Para entonces hacía casi un mes que el Locósmico había tenido ese sueño y que nos lo había contado con gran entusiasmo. Pero como pasaron los días y nadie se topó con su río, él había descartado por completo que se hubiera convertido en realidad.

Producido entonces el "descubrimiento", organizamos una excursión hasta allí. Para meternos por primera vez en el río tomamos todo tipo de recaudos. Claro que enseguida entramos en confianza y fue ése un maravilloso día de picnic. A partir de entonces fuimos casi todos los días a bañarnos y a veces a pescar en las aguas invisibles. Una broma que hacíamos con Marcia era llenar baldes (que conseguíamos en el restaurante) con agua del río, que luego utilizábamos para llenar los bolsillos de la chaqueta del señor Piero N. Mastrángelo y los zapatos del Locósmico o para fabricar en el refrigerador del restaurante barritas de hielo invisible. Con los trozos de ese hielo asustábamos a nuestros compañeros: sentían por ejemplo que algo les había golpeado un brazo o la cara y no veían nada.

Otro de los sueños fue de Marcia: soñó con los dos monstruos. Cuando al día siguiente los monstruos regresaron ya no eran dos sino cuatro. Les dimos de comer como siempre, jugamos con ellos a hacer imitaciones y luego se marcharon los cuatro a la par.

Dos días después soñé que Marcia nuevamente soñaba con los monstruos. En mi sueño aparecía Marcia sorprendida ante los ocho monstruos: cuatro que ya había, más los cuatro de su nuevo sueño.

Poco después de despertarme aquel día vi venir hacia la nave a los ocho monstruos. Pero como mi sueño incluía a Marcia soñando con monstruos, un día más tarde eso se hizo realidad. Tras el sueño de Marcia los monstruos fueron dieciséis. Afortunadamente nadie volvió a soñar más monstruos.

A partir de entonces a la mañana o al mediodía venían los dieciséis. Caminaban todos a la par, llevando el mismo paso, inclinando levemente el cuerpo todos al mismo tiempo y con la misma mueca sonriente. Menos mal que el señor Piero N. Mastrángelo de cada tres noches, dos soñaba con grandes cantidades de comida.

Una noche soñé que andaba en moto por el planeta. Iba de un lado a otro, recorría "Nada" en todas las direcciones. Terminado el paseo regresaba a la nave: detenía la marcha de la moto, me bajaba de ella y la guardaba en el bolsillo de mi pantalón. Era así de sencillo: apretándola un poco, haciendo una leve presión, la achicaba hasta que adquiría el tamaño de una moneda; entonces la guardaba en mi bolsillo y continuaba caminando.

—Esto sí que no se va a hacer realidad —me dije al despertar.

Esa mañana, igual a como habíamos hecho en los últimos días, fuimos con Marcia al Zoológico de animales de madera que ella había soñado la semana anterior. Había allí elefantes, jirafas, perros, rinocerontes, leones. Y aun las jaulas, bebederos, carteles y hasta los senderos que rodeaban cada sector eran de madera. Salvo esa diferencia, en todo lo demás este Zoológico era igual a uno que Marcia había visitado en Méjico hacía dos años.

Lo recorrimos un rato y luego salimos. A doscientos metros de allí estaba el "Árbol de la Sabiduría" soñado por el señor Piero N. Mastrángelo, quien cada tanto conseguía soñar con algo que no fuera comida.

El Árbol era igual a cualquier árbol terrestre sólo que tenía la particularidad de hablar. De entre su espeso follaje salía una voz grave y monótona que todo el tiempo disertaba sobre el mismo tema: "El Imperio Romano".

La conferencia del Árbol de la Sabiduría comenzaba cuando se ponía un pie bajo su sombra. De modo que uno podía sentarse o acostarse debajo y escuchar plácidamente:

"La conquista etrusca en el siglo VI antes de Cristo llevó a la civilización a la primitiva Roma, ciudad ésta que habría de transformarse más tarde en el centro de un poderoso imperio. Entonces era sólo un conjunto de aldeas, sobre el monte Palatino y a orillas del Tíber, donde el pueblo latino iniciaba la vida sedentaria y el cultivo de la tierra..."

El problema venía después que el Árbol terminaba la lección. Era cuando pasaba a interrogarnos a los oyentes.

"¿En qué año fue la conquista etrusca de Roma?", por ejemplo, preguntaba el Árbol. Si uno no sabía o se equivocaba al contestar, dejaba caer una lluvia de frutos castigando la ignorancia.

La primera vez que sucedió nos dimos un susto terrible. A los pocos días contestábamos mal a propósito porque nos divertía tener que esquivar a los "frutos de la ignorancia" como pasamos a llamarlos.

Esta vez fuimos hasta el árbol sólo porque hacía bastante calor y queríamos estar a la sombra.

"La tradición asegura que Roma fue fundada por Rómulo y Remo, en la colina del Palatino, en el año 753 antes de Cristo..."

—La verdad, me tiene harta con el Imperio Romano. Por qué no hablará de otra cosa... —rezongó Marcia.

"En un principio era la agrupación de varias aldeas establecidas por pastores y agricultores latinos y sabinos..."

—Sí, a mí también me tiene podrido —dije.

"Una vez fundada Roma, comienza la monarquía de..."

—Me gustaría recorrer el planeta, pero no a pie —comentó Marcia.

"...Rómulo, quien vivió entre el 753 y el 716, antes de Cristo..."

—Sería bueno tener un auto, o una moto —dije—. ¡Una moto! —repetí, recordando el sueño. Metí suavemente la mano en el bolsillo del pantalón y toqué algo... ¡algo con rueditas!

"A Rómulo lo siguió Numa Pompilio y a éste Tulio Hostilio..."

—¿Qué te pasa? —me preguntó Marcia, asustada.

"...viniendo luego Anco Marcio y después Tarquino Prisco..."

—¡La moto! ¡La moto! —grité enloquecido. Justo en ese momento el Árbol de la Sabiduría dio por terminada su lección y preguntó:

"¿Quién fue el primer monarca de Roma y por quién fue sucedido en el trono?"

—¡La moto! —seguí gritando.

"Respuesta incorrecta", respondió el Árbol y nos mandó una lluvia de "frutos de la ignorancia".

Aunque estaba casi atontado por los golpes, salí de la sombra llevando la moto en la palma de la mano derecha. Una vez fuera del alcance del Árbol y para que no empezara con una nueva lección me arrodillé al sol a "estirar" la pequeñísima moto hasta convertirla en una de verdad. Marcia miraba asombradísima como presa de una alucinación.

Hice arrancar la moto y subí.

—¡Vamos! —le grité a Marcia.

Dudó un segundo, pero luego sonrió y de un salto trepó a la moto.

—¿Cómo lo has hecho? —preguntó cuando comenzamos a marchar.

—Es que soy mago —le respondí.

"Vuelvan, malos alumnos —nos gritó el Árbol—. *¡Durante el reinado de Tarquino Prisco se construyó el Foro romano...!",* alcancé a escuchar mientras nos alejábamos.

Era maravilloso andar en moto por aquel planeta. No había caminos; todo era liso y no era necesario esquivar nada. Se podía acelerar y acelerar, describir amplísimos círculos y "ochos", ir y venir. Volábamos casi y de la alegría gritábamos tan fuerte que tapábamos el rugido de la moto.

En determinado momento enfilé la moto en línea recta y aceleré a fondo. Volábamos: el viento nos tiraba hacia atrás y hacíamos fuerza para mantenernos en el asiento. Anduvimos así más de dos horas, tiempo en el que debimos hacer cientos de kilómetros. De pronto el motor comenzó a fallar y segundos después se detuvo.

—¡Maldita sea! Se debe haber quedado sin carga —exclamé temeroso de estar en lo cierto. Revisé el tablero y, efectivamente, estábamos sin combustible: la pequeña batería de uranio se había descargado.

—¡Qué tonto! La soñó casi sin batería —se quejó Marcia y se sentó en el suelo, desconsolada.

—Tendremos que caminar días, semanas, para volver a la nave.

—Gracias a tu maravillosa moto, ¡mago!

Encogí la moto, la guardé en mi bolsillo y comenzamos a andar tratando de seguir la débil huella que había dejado la moto sobre el suelo de "Nada".

A las tres horas de marcha nos sorprendió la visión de una nube de polvo que se agigantaba en el horizonte y se desplazaba hacia nosotros. ¿Polvo en "Nada"?

—Debemos estar marchando en otra dirección —dije.

—¿Qué será eso? —preguntó Marcia—. ¿Cómo en otra dirección? Si venimos siguiendo las marcas de la moto...

—No sé, es que dimos tantas vueltas. Además... ha cambiado el paisaje. Esto es como suelo de tierra, ¿no te fijaste? Hay pasto...

—Es cierto, sí, ¿qué habrá pasado? ¿Dónde estaremos?

Minutos después comenzamos a escuchar como un tronar ininterrumpido, como miles de golpes contra el suelo. Llegamos a la conclusión de que debían ser caballos, cientos de caballos de un gran ejército o algo así, que venían hacia nosotros y producían esa nube de polvo.

—¿Ejército con caballos? Eso era en las películas de hace cuatrocientos años —comenté.

Nuestra primera reacción fue la de correr en sentido contrario pero inmediatamente comprendimos que sería inútil. En poco tiempo los tendríamos junto a nosotros.

Sin embargo luego torcieron levemente la dirección, desprendiéndose un pequeño grupo de jinetes, diez o doce, que sí continuó galopando hacia nosotros.

Parecían decididos a aplastarnos con sus caballos pero detuvieron a las bestias a centímetros de nosotros, que permanecimos abrazados, muertos de miedo. Sin bajar de los caballos nos inspeccionaron dando varias vueltas a nuestro alrededor. Eran verdaderamente extraños. Iban cubiertos con pieles de oveja y llevaban ataduras de cuero en los pies.

—¡Miren cómo están vestidos! —dijo uno de

ellos, señalándonos. Estallaron todos en carcajadas y burlas.

Todavía seguían riendo cuando otro, que parecía comandar al grupo, señaló a Marcia y dijo:

—¡Llevémonos a la chica y matemos al otro!

—¡Sí, sí, matémoslo! —dijo el que estaba a su lado, mostrando en su entusiasmo los terribles dientes que salían de su boca asquerosa—. ¡Y a la chica también!

—¡Eso, a la chica también! —repitieron varios.

—No, idiotas. La chica es para que se case con el "Gran Rasgos Repelentes"—dijo el más grandote, que parecía comandar al grupo.

—Claro, claro —asintieron los otros—. ¿Y para qué quiere casarse el Gran Rasgos Repelentes?

—Es que ya ha cumplido los 80 años y él mismo dice que es hora de casarse.

—Pero entonces... ya sé. ¡Matemos dos veces a éste! —propuso el de los dientes.

—Eres un idiota, "Colmillos" —le dijo el jefe—. Solamente le podemos cortar la cabeza una vez.

—Es cierto.

—¡También podemos pisotearlo con los caballos! —propuso otro con gran entusiasmo.

Se quedaron un segundo callados, mirando al que había aportado esa idea. Éste, apenas pudo aguantar tanta admiración.

—¡Es cierto! —exclamaron todos a la vez.

—¡Y destrozarlo a latigazos!

—¡Enterrarlo vivo!

—¡Matarlo vivo!

—¡Ahogarlo con lana!

—¡Todo, por favor! ¡Todas las cosas a la vez, matémoslo varias veces! —dijo "Colmillos" con voz temblorosa por la emoción que le producía haber tenido la idea más completa.

—¡No, no y no! Hay que obligarlo a que él mismo se divida en pequeñas partes con mi cuchillo filoso —apuntó el más creativo, un gigante con cara de caballo y voz chillona, pero no consiguió convencer a sus compañeritos.

En ese momento se escuchó el sonido de un cuerno y todos giraron la cabeza, aterrorizados. A lo lejos se veía el resto del ejército del Gran Rasgos Repelentes que estaba detenido en perfecta formación.

—¡Dios mío, nos hemos demorado demasiado! —dijo "Colmillos".

—¡Nos retará! ¡Estoy seguro de que nos gritará! —balbuceó el jefe del grupo casi sollozando.

—Vamos... vamos —dijo el cara de caballo.

Sin descabalgar, el jefe levantó a Marcia y se marcharon a todo galope.

Me quedé allí viendo cómo Marcia era llevada por sus raptores.

* * * * * * * * * * * * * * * * * * * *

Marcia Raptada

* * * * * * * * * * * * * * * * * * * *

* * * * * * * * * * * * * * * * * *

Permanecí varios minutos sin saber qué hacer. No quería intentar el regreso porque la nave debía estar a varios días de camino y porque de todos modos no estaba seguro de la dirección en que debía caminar. Lo que hice, finalmente, fue marchar en busca de Rasgos Repelentes y sus bandidos: no tenía la menor idea acerca de cómo haría para rescatar a Marcia y mucho menos de la distancia que me separaba de ellos. Lo único que tenía a mi favor era que los caballos me irían dejando sus olorosas señales y sus huellas y gracias a ello algún día encontraría a los raptores aunque pasaran meses. En cuanto a qué haría una vez que diera con ellos era algo que tendría que decidir mientras andaba.

Caminé un buen rato pero luego me di cuenta de que la solución tenía que ser otra: dormir. Dormir y soñar con algo que me ayudara en el rescate de Marcia.

Me tiré al suelo, cerré los ojos y me dediqué a pensar, a imaginar cosas que me sirvieran en la posible lucha con los bandidos. Pensé que debía imaginarlas de manera muy detallada para luego soñarlas perfectamente. Primero se me ocurrieron armas tradicionales pero después decidí que, ya que era cuestión de soñar y nada más, mejor inventar exactamente lo que necesitaba aunque jamás haya existido. Por ejemplo, me dije, un "rayo endurecedor" que por un día paralizara a Rasgos Repelentes y a todos sus soldados, como para tener tiempo de liberar a Marcia y escapar con ella.

Traté de fijar mi mente hasta en la forma del rayo: debía ser pequeño como un bolígrafo de modo que pudiera llevarlo en el bolsillo y nadie al verlo se diera cuenta de la peligrosa arma que era.

Ya que estaba, también me iba a ser necesario un vehículo: pensé en la batería que necesitaba para mi moto extensible. De paso, y ya que iba a rescatar a Marcia, pensé en un ramo de flores para llevarle, una torta para festejar y un traje de príncipe para ponerme.

Ahora sólo restaba dormir y soñar con todo eso.

Traté de concentrarme. Me molestaba la luz del día y no podía evitar cierto nerviosismo. Me esforcé todo lo que pude pero más intentaba dormir, más despierto estaba. "Maldición, maldición —me decía—, Marcia está en peligro y yo ni si quiera puedo tirarme a dormir tranquilo."

Por fin, empecé a sentir que el sueño venía. Trataba de respirar acompasadamente para relajarme y dormir y ya casi lo estaba logrando cuando oí ruidos de golpes en el suelo, ¡como una tropilla de caballos! ¡Otra vez! Del miedo, no podía ni abrir los ojos. Hasta que junté coraje, me incorporé de un salto y miré:

—¡No! ¡Justo ahora! —exclamé rabioso. Eran los dieciséis monstruos, con sus caras espantosas y peludas, que estaban a mi lado mirando y oliéndome con curiosidad.

"Jamás conseguiré dormir tranquilo con estas bestias al lado", pensé.

—¡Váyanse, váyanse! —les grité, haciéndoles gestos de que se marcharan. Los dieciséis adoptaron la misma postura que yo y repitieron idénticos gestos. Acobardado, me senté. También ellos se sentaron agarrándose la cabeza como lo estaba haciendo yo.

—¡Lo único que me faltaba! —volví a gritar pegando trompadas contra el suelo.

Los monstruos se acostaron como yo y pegaron trompadas contra el piso. Viéndolos, se me ocurrió la gran idea. Salté de alegría, saltaron de alegría.

—¡Vamos, vamos! —grité agitando los brazos. Se colocaron a mi lado, agitando los brazos.

—¡A la carga muchachos! ¡Destruiremos al ejército de Rasgos Repelentes!

Caminamos como tres horas. Éramos un batallón de gigantes comandado por un enano. Cuando resolví detenerme para hacer un descanso, mis piernas ya no daban más. Me dejé caer y los monstruos, naturalmente, hicieron lo mismo.

Mientras me recuperaba pensé en la banda de Rasgos Repelentes. ¿Quién los habría soñado? Seguro había sido la abuela de Marcia. ¿O serían ellos los verdaderos habitantes de este planeta? Si era así, habría entonces toda una civilización del tipo de Rasgos, con sus ciudades, caminos, castillos. Claro que si ellos no habían sido soñados resultaría más difícil vencerlos y rescatar a Marcia. ¿Cómo estaría Marcia? ¿La estarían maltratando, le habrían hecho daño?

Acostado en el suelo, no tardé en dormirme. Soñé que era un Príncipe que en las vísperas de un combate se estaba vistiendo ayudado por un sirviente llamado "Dimitri". En pleno campo de batalla Dimitri me alcanzaba distintas partes de mi atuendo principesco de color rojo con bordados de oro, al que cubría con una larga capa negra y brillante que arrastraba al caminar...

Desperté malhumorado, lamentando haber soñado eso. En lugar de las armas para rescatar a Marcia, toda esa tontería del traje y del sirviente.

Me incorporé, se incorporaron los dieciséis monstruos, y retomamos la marcha.

Mi plan consistía en atacar el campamento, la fortificación o lo que fuera, donde se ocultara la banda de Rasgos Repelentes. Por muy fuertes que fueran los monstruos igualmente no podrían con un ejército tan numeroso, de modo que debía imaginar la forma de caerles por sorpresa durante la noche o esperar una oportunidad propicia. Todo dependía, además, de que los monstruos siguieran imitándome y de que no les diera ganas de comer y se marcharan hacia la nave. Si yo lograba retenerlos conmigo, acercarme a los bandidos y darle un puñetazo a uno de ellos, los monstruos se encargarían del resto.

Como para comprobar las posibilidades de mi plan, sin detener mi paso lancé tres o cuatro trompadas al aire. Casi simultáneamente los dieciséis monstruos lanzaron terribles golpes que de sólo verlos me aterrorizaron. Bueno, al fin de cuentas eran precisamente los golpes que yo esperaba que dieran ellos. Los monstruos eran dos veces más altos que un terráqueo y, por si fuera poco, tenían poderosísimas garras.

Seguí caminando, ahora más confiado en mis soldados pero repitiéndome que todo dependería de mí ya que ellos no harían nada que yo no hiciera.

De pronto vi a lo lejos las siluetas de un grupo de jinetes que galopaban hacia nosotros.

Mi primera reacción luego de ver a los jinetes que se acercaban con sus sables levantados, fue salir corriendo desesperadamente. Junto a mí corrieron los monstruos, imitando mis gestos despavoridos. Enseguida reparé en que estaba haciendo el ridículo y hasta me dio vergüenza de que los monstruos me vieran así y hasta se burlaran de mí. Furioso me dije que yo estaba allí con mi batallón no para huir como un cobarde sino para enfrentar al enemigo y rescatar a Marcia.

—¡Alto! —ordené con la voz más gruesa y enérgica que me salió.

Al detenerme, mis guerreros se detuvieron.

Di media vuelta y comencé a caminar al encuentro de los bandidos, marcando el paso y apoyando los pies con firmeza: mis soldados-monstruos hacían temblar la tierra con sus trancos. Nuestros enemigos eran unos veinticinco o treinta y ya estaban muy cerca.

—¡Príncipe! ¡Príncipe! —oí que gritaba a mis espaldas una voz chillona. Como los monstruos no hablaban, me volví sorprendido.

Era el sirviente Dimitri, el del sueño, que venía corriendo con un atado de ropas entre sus brazos. Sobre su hombro derecho llevaba un extraño pajarraco que hacía equilibrio para no caerse.

Conteniendo su agitación comenzó a colocarme el traje de Príncipe. Confundido, no supe qué hacer... además, la ropa real estaba muy buena. Mientras me acomodaba los atavíos principescos, Dimitri no dejaba de hablar con su ridícula voz de pito:

–¡Debe apurarse, Alteza! El enemigo está muy cerca.

Consiguió ajustarme los lazos dorados de la capa para cuando ya teníamos encima a los bandidos.

Sorprendidos por el espectáculo de los dieciséis monstruos, los bandidos se quedaron detenidos, los ojos muy abiertos y expectantes. Jamás habían visto nada parecido.

Pasaron dos eternos minutos y continuaban allí, como hipnotizados. Nosotros también. De pronto uno de ellos de quien recordé su cara de caballo, dijo:

–Es el niño que estaba con la chica. Llevémoslo ante el Gran Rasgos Repelentes.

–¡Ni lo intenten, estúpidos! –les grité.

–¡Atrápalo "Rostro Equino"! –le ordenó otro (era "Colmillos").

"Rostro Equino" vino hasta mí y al intentar agarrarme salté hacia atrás. Los monstruos también saltaron hacia atrás.

Los bandidos miraron entre divertidos y asombrados y bajaron de sus caballos.

Cuando "Rostro Equino" estuvo a centímetros de mi cara le di una trompada en el brazo que, tengo que reconocerlo, no le hizo ni cosquillas. El bandido rió un segundo con su amplia sonrisa de caballo, lo mismo que sus compañeros.

Pero no pudieron disfrutar demasiado porque los monstruos me imitaron: volaron bandidos en todas direcciones. Era un lío de gritos, golpes y gente cruzando el aire.

Apenas pudieron ponerse en pie, maltrechos, huyeron. Algunos alcanzaron a saltar a sus caballos y otros, en su desesperación, se fueron corriendo.

Habíamos ganado la primera batalla.

Seguimos avanzando, ahora siguiendo los rastros más frescos de los hombres de Rasgos Repelentes a quienes habíamos derrotado. Dejarlos huir había sido una idea acertada: yo no tenía cuerdas para mantenerlos atados de manera que igual terminarían escapándose. Anduvimos casi medio día más, deteniéndonos a descansar cada tres o cuatro horas. En realidad el único que necesitaba descansar era yo. ¿Ellos no se cansarían porque no eran monstruos de verdad, sino seres soñados?

Marchaba yo montado en uno de los caballos quitados a los bandidos y mi ayudante Dimitri en otro. Los monstruos iban a pie ya que los caballos no aguantaban tanto peso.

Además, montados, los monstruos hubieran

arrastrado los pies en el suelo. Claro que, como no podían dejar de imitarme, iban caminando junto a mí repitiendo los movimientos que yo hacía al cabalgar, como montados en caballos invisibles (o como niños gigantes y horribles que jugaran al "caballito").

Éramos un batallón ridículo: los monstruos marchaban en línea, con las piernas abiertas y un tanto agazapados, dando pequeños saltitos; yo, vestido de Príncipe, con mi vestimenta estrafalaria, y mi ayudante Dimitri, finalmente, con su absurdo pajarraco parado sobre su hombro. Más que un batallón parecíamos un circo.

Pero ése era mi ejército y me iba a servir para liberar a Marcia y para alguna vez contarle a mis amigos terrestres que una vez fui jefe de un grupo de bravísimos héroes. Bueno, eso si conseguíamos regresar a nuestro planeta.

Ya empezaba a pensar que jamás daríamos con Rasgos Repelentes cuando avisté algo así como una antigua fortaleza.

Anochecía, de modo que consideré prudente esperar hasta el otro día.

—Creo que vamos a esperar hasta la mañana, Dimitri.

—Como usted diga, Alteza.

Con Dimitri acordamos turnarnos un rato cada uno en la guardia para permitir que el otro durmiera. Creo que propuse eso por haberlo visto tantas veces en el cine ya que Dimitri, que era "soñado", no necesitaba dormir. Eso sí, me acosté en primer término. Por supuesto, los monstruos también se echaron a dormir a mi lado.

Tuve un sueño increíble: que yo era el pajarraco que Dimitri llevaba sobre su hombro. Que mientras durara la noche yo sería el pájaro.

Cuando desperté –todavía era de noche pero comenzaban a asomarse los primeros rayos del sol de "Nada"– me encontraba parado precisamente sobre el hombro de mi ayudante Dimitri. A mi alrededor todo era gigantesco. Hasta el suelo estaba lejísimos. Al mirar hacia abajo vi mis piernas: eran dos patitas delgadas; mi cuerpo, que sentí increíblemente liviano, estaba cubierto de suavísimas plumas.

Di un salto y remonté vuelo. Otra maravillosa sensación. Uno extiende las alas, las agita suavemente sin ningún esfuerzo y flota en el aire. Y se puede hacer cierto esfuerzo en subir unos cuantos metros para luego dejarse deslizar cientos de metros describiendo levísimas ondas en el aire.

El único inconveniente era que no se veía demasiado debido a la oscuridad. Recién empezaba a amanecer, todavía estaba oscuro y mi condición de pájaro duraría, según el sueño, lo que durara la noche. Tenía que apurarme.

En segundos llegué hasta los propios muros de la fortaleza. Di varias vueltas alrededor de las dos altas torres que servían de mirador observando todo y tratando de memorizar cuántos guardias había en cada puesto y qué armas tenían.

En ese momento, justamente, estaban llegando "Colmillos" y sus bandidos, casi arrastrándose por el cansancio pero sobre todo por los golpes que les habían dado los monstruos. Como ellos iban entrando, pude volar sobre sus cabezas y observar detenidamente cómo funcionaba el portón levadizo que al bajarlo se convertía en puente permitiendo cruzar el foso que rodeaba toda la fortaleza, en cuyo fondo se arrastraban o nadaban docenas de cocodrilos hambrientos.

Me metí dentro de la fortaleza y recorrí sus pasillos y salas, hasta que encontré a Marcia.

Estaba en una pequeña y sucia celda, entristecida y pálida, sentada en una cama.

Fuera de la celda había un guardia de expresión asesina que en ese momento le estaba gritando:

—¡No comes ni duermes! ¡Sólo lloras, estúpida! Mañana te casarás con el Gran Rasgos Repelentes y estarás hecha una piltrafa. ¿Es posible que no te des cuenta de que debes dormir? ¡A él no le gustan las lloronas!

Marcia ni lo miraba.

Me introduje en la celda a través de los barrotes y me paré en el respaldo de la cama. En un primer momento Marcia se asustó pero luego extendió su mano y con muchísimo cuidado acarició mi plumaje. Pasó suavemente sus dedos por mis alas recogidas y por mi cabeza.

—¡Alcánzame ese pajarraco, niña! —vociferó el guardia.

Marcia me tomó entre sus manos... ¿me entregaría?

Se quedó detenida mirando al guardia y protegiéndome contra su pecho.

—¡Maldición! ¡Dámelo que me lo voy a comer asado o hervido! —gritó, y como Marcia no se lo alcanzaba, comenzó a buscar afanosamente las llaves de la celda. Al fin dio con las llaves y en un segundo abrió la puerta. Marcia saltó a la cama y parada sobre ella se estiró hasta hacerme asomar por una pequeña ventanita.

Entonces miró hacia el guardia y tuvo un instante para darme un beso y sacarme por la ventana.

Me quedé revoloteando alrededor de la celda (que ahora, desde afuera, comprendía que estaba en una de las torres) y pude escuchar que el guardia gritaba furioso:

—¡Estúpida! ¡Estúpida!

Vi que le daba un empujón y luego volvía al pasillo, cerrando la puerta con llave.

Volví a meterme en la celda de Marcia (ya empezaba a aclarar; si no me apuraba dejaría de ser pájaro y me apresarían fácilmente), pasé a través de los barrotes al pasillo y volé encima del guardia. Cuando estuve exactamente sobre su cabeza dejé caer mi venganza de pájaro sobre su pelado cráneo. Le quedó una mancha blanca y una furia negra.

Marcia rió y me miró intrigada.

Volví a meterme en la celda, di una vuelta sobre Marcia y salí por la ventana. Vi que ella se paraba sobre la cama y se quedaba mirándome mientras me iba volando. Ya casi era de día. Con todas mis energías moví mis alas. Por fin avisté a los monstruos y a mi ayudante Dimitri (y a mí mismo tirado en el suelo, durmiendo), y comencé a descender. Al tocar con mis patas en el suelo recobré mi aspecto humano.

Dimitri me miró asombradísimo al igual que los monstruos.

—Creo que su Alteza ha tenido una pesadilla durante la noche —me dijo.

—No. Ha sido un hermoso sueño, Dimitri —le contesté.

* * * * * * * * * * * * * * * * * * * *

*L*A FIESTA DE RASGOS REPELENTES

* * * * * * * * * * * * * * * * * * * *

* * * * * * * * * * * * * * * * * * *

En nuestra marcha hacia el reducto del Gran Rasgos Repelentes nos topamos con una carreta que llevaba el mismo destino que nosotros. Era un carromato de altas ruedas que a cada giro parecían quejarse con agudos chirridos. Sentado en el techo, balanceando sus largas piernas, iba un muchacho que lucía nariz postiza y ropa colorida. Manejaba las riendas un gordo que con su potente vozarrón entonaba canciones cómicas; en la parte trasera viajaban otros dos cuyas risas y carcajadas se oían desde lejos y al costado del carro, acompañando la marcha con espectaculares saltos y grotescas piruetas, iban tres acróbatas.

Cuando nuestros caminos se juntaron, del

interior del carro saltó un hombre de aspecto alegre que nos saludó con exageradas reverencias e hizo las presentaciones:

—Le presento a mis acompañantes: pueden ser crueles tiranos o ingenuos mozalbetes, campesinos o príncipes, matronas irascibles o dulces doncellas, todo pueden serlo embadurnados de maquillaje y sueltos de imaginación. Actores, en síntesis. En cuanto a mí, llevo el nombre de William Shakespeare.

Respondí al saludo con una inclinación de cabeza (me pareció que era lo que correspondía) al tiempo que me preguntaba: "¿serán estos locos producto del sueño de alguien de la nave?".

—Parece que el dueño del castillo en cuyas proximidades nos hallamos se casa con una joven muy bella, y a propósito de ello nos ha convocado para alegrar la fiesta con una de nuestras representaciones —me explicó Shakespeare—. La obra que llevamos la he titulado "Sueños de una noche de verano" y la escribí especialmente para esta ocasión. ¡Qué mejor que una comedia sobre el amor para celebrar este acontecimiento! Supongo que también ustedes acuden a la fiesta y por idéntico motivo: actores de excelencia sin duda deben ser.

No puedo dejar de admirar lo bien logrado de vuestros disfraces de monstruos.

—¿Cómo? —le pregunté.

—En efecto, realmente parece usted un príncipe niño y, seguro estoy de ello, debe tratarse de un actor de larga y meritoria experiencia. En cuanto a su elenco, ¡qué excelente caracterización!

¡Que óptimos trajes y mejor maquillaje! ¡Bestias feroces parecen, animales prehistóricos temibles y verdaderos! Y más aún: me doy perfecta cuenta de los rigurosos ensayos que han acometido y del mucho trabajo y la prolongada ejercitación con que disciplina a sus actores ¡se mueven y caminan absolutamente sincronizados!

—Bueno, sí. La verdad es que hemos ensayado bastante —llegué a balbucear.

—En fin, ya tendremos tiempo de intercambiar ideas. Será un gusto para mí, un humilde inglés que ama el teatro, hablar con usted, que dirige tan interesante compañía.

—Oh, sí, sin duda nos será de utilidad a los dos —le respondí—. Es más: se me acaba de ocurrir que para esta actuación podríamos unirnos y trabajar juntos. ¿No le parece?

—¿Unir nuestros elencos? ¡Magnífica idea! ¿Y qué obra representan ustedes?

—¿Obra? —la pregunta me tomó por sorpresa. Pero ya tenía resuelto lo principal: cómo entrar al castillo—. Bueno... la nuestra es una pieza musical, una comedia musical, pero sin música. En realidad es una obra de ballet. ¡Eso! ¡Una obra de ballet!

—¿Y cuál es el argumento?

—¿Cómo el argumento? Ah, el argumento. Se trata de un príncipe que va a rescatar a su amada porque ella ha sido raptada por un malhechor, un maleante, un ser de porquería que pretende casarse con ella. Pero ella ama al príncipe, ésa es la verdad. Claro que el que la tiene raptada, como sus secuaces, no existen...

—¿No existen?

—No. Es que han sido soñados, al igual que la Mujer Gigante, el Río de Aguas Invisibles, el Árbol de la Sabiduría y todo eso.

—En verdad no llego a entender del todo pero supongo que es algo parecido a la que yo mismo voy a representar. También mi obra trata de sueños y amores, pero ¿cómo es que el príncipe consigue rescatar a su amada?

—Bueno... eso está por verse. El plan del príncipe es aprovechar la propia boda preparada por el raptor. Disfrazado de comediante el príncipe logra internarse en el Palacio, rescatar a la chica y huir con ella.

—No le niego que la idea tiene sus aristas interesantes pero en general se me ocurre un tanto confusa. ¿Cuánto tiempo le ha llevado escribirla?

–Nada. Jamás la he escrito. Es decir, sí. Bueno, me explico mejor: no he tardado ni mucho ni poco, ni siquiera más o menos. Es que, en fin, no he tardado. Me refiero a que tal vez he tardado demasiado o demasiado poco...

–Sí, sí, está bien, no siga. Comprendo... Bueno, encantado de conocerlo, mi querido colega. Pasaré a presentarme y a saludar a sus actores.

–William Shakespeare, un gusto de conocerlo –le dijo al primer monstruo, tendiéndole la mano. El monstruo, por supuesto, ni amagó retribuirle el gesto. Di entonces un salto, tomé de la mano al señor Shakespeare y lo saludé. De inmediato hicieron lo mismo los dieciséis monstruos aunque, naturalmente, sin decir una palabra. Shakespeare los miraba sorprendido (y dolorido, a juzgar por cómo frotaba su mano derecha).

–Jamás dejan de hacer su papel –le expliqué.

–¡Oh! Entiendo, entiendo –respondió, más confundido aún.

Caminamos una media hora a la par de la carreta de Shakespeare, pero cuando ya nos encontrábamos a unos pocos cientos de metros de la Fortaleza se me ocurrió que, aunque fuéramos mezclados entre los actores, igualmente los hombres de Rasgos Repelentes reconocerían a los monstruos. Decidí entonces disfrazarlos con ropa y maquillaje que le pediría a mi "colega".

—Permítame preguntarle para qué necesita usted cambiarle el aspecto a su elenco —quiso saber Shakespeare.

—No quiero que los vean con los trajes de la obra.

—Es muy fácil entonces: que se los quiten.

—Es que son los únicos que tenemos. La nuestra es una compañía muy pobre.

—Comprendo, naturalmente. Les proporcionaré lo que necesitan. Y los ayudaré a maquillarse.

—No, no, por favor, no hace falta. Solamente présteme las pinturas que yo me arreglo.

Me aparté de la vista de Shakespeare y de sus actores y detrás de la carreta maquillé a los monstruos: le di un pincel a cada uno, tomé uno yo, y me pinté la cara, las piernas y los brazos, de todos los colores posibles. Los monstruos me imitaron alegremente. Lo mismo hizo mi ayudante, el fiel Dimitri.

Poco después llegábamos a la Fortaleza.

—¡Llegan los actores! —gritó un guardia desde arriba.

De inmediato comenzó a bajar el puente levadizo y pudimos entrar.

Nos hicieron esperar en una pequeña sala. Un grandote (reconocí al mismísimo "Colmillos") no dejó de mirar intrigado a los monstruos como si le recordaran algo, mientras nos explicaba que la fiesta estaba a punto de comenzar en el Salón principal y que deberíamos aguardar unos minutos antes de entrar a escena.

—¿Qué va primero? ¿Nuestra función o la ceremonia de la boda? —le pregunté a Colmillos.

—¡Qué te importa, idiota! —me respondió amablemente y salió de la habitación.

Abrí apenas la puerta y me asomé a la sala principal: no vi a Marcia. Había muchos invitados vestidos con atuendos de gala, interminables mesas con los más extraordinarios manjares y, sentado en su trono, un tipo de expresión repugnante. No era necesario ser adivino para deducir que se trataba del Gran Rasgos Repelentes. Seguro que la fiesta no había comenzado aún porque la comida permanecía intacta y los invitados se mantenían en grupos hablando casi en susurros como si esperaran que de un momento a otro comenzara todo. A cada momento Rasgos miraba hacia lo alto de una escalera por donde seguramente debía bajar Marcia, su prometida.

Cerré la puerta y comencé a caminar nervioso de un extremo a otro de la habitación, tratando de pensar cómo iba a hacer para sacar de allí a Marcia.

—¡Espere! ¡Alto, deténgase de una vez! —me gritó Shakespeare que estaba extrañamente agazapado detrás de una mesita—. ¡Y haga que se detengan sus amigos o la más absurda confusión ganará mi mente!

Ocurría que al imitar mi nervioso trajín yendo y viniendo por la habitación, los dieciséis monstruos empujaban a los actores de Shakespeare, desparramaban por el piso cuanta cosa se les interponía y hasta parecía que derrumbarían la pieza.

Cuando me detuve y todo volvió a la calma, Shakespeare pasó su brazo por mi hombro y me dijo, tuteándome:

—Te encuentras en problemas, muchacho, y creo que puedo ayudarte. A ver, por qué no me cuentas en qué tipo de líos te hallas metido.

Decidí confiar en él; al fin y al cabo parecía una buena persona. Además, no se me ocurría cómo hacer para recuperar a Marcia y sacarla del castillo. Lo que no le expliqué, porque jamás lo hubiera entendido, fue que Marcia y yo éramos de otro planeta y que él seguramente había sido soñado por alguien de la nave, al igual que todos los que estaban allí. Sólo le conté que Marcia era mi novia y que había sido raptada por Rasgos Repelentes.

—Es difícil asunto el que tienes entre manos, mi querido Bruno, pero intentaré ayudarte. Por lo pronto, acompáñame que vamos a hablar con Rasgos Repelentes; se me ha ocurrido algo que quizás funcione. Se trata del argumento de la obra: mezclaremos tu obra y la mía.

—¿Y es necesario que hablemos con Rasgos? ¿No tiene una idea mejor? —pregunté tembloroso. Llamó a un guardia y le pidió que nos condujera ante el Gran Rasgos.

Visto de cerca, Rasgos era verdaderamente el dueño de la cara más siniestra que yo haya conocido jamás.

—¿Qué quieren todos ustedes? —preguntó furioso. Recién entonces me di cuenta de que a mi lado se mantenían en línea los dieciséis monstruos.

—Diles que regresen a la habitación —me susurró Shakespeare, nervioso.

—No puedo —le respondí con los dientes apretados—. Son así, están siempre a mi lado.

—Pregunté algo, ¿no? —tronó Rasgos.

—Oh, sí, sí, Excelencia —le dijo Shakespeare—. Es que queríamos hacerle una propuesta que sin duda redundará en su propio beneficio y lucimiento...

—¿Qué quieren, maldita sea? ¿Tienen un plan para robar algo?

—No, se trata de que usted y su prometida actúen en la obra.

—¡No! —me opuse.

—¡Cierra el pico, imbécil! —me contuvo Rasgos—. ¿Cómo es eso? —le preguntó a Shakespeare.

—Bueno, la idea es que usted y la dulce niña actúen en nuestra obra. Ella haría el papel de una joven princesa a la que rapta un horrible enano, personaje que estaría a cargo de este excelente artista... —dijo, señalándome.

—Gracias —respondí.

—...en cuanto a usted, Excelencia, haría el papel de un joven príncipe que rescata a la chica y al final se casa con ella —le explicó a Rasgos—. De esa manera, coincidiría el final feliz de la obra con su propia boda.

—Oh, me gusta, me gusta —se entusiasmó asquerosamente Rasgos—. ¿Y cómo hago para rescatarla? ¿Mato al enano? Para que quede mejor mi actuación lo mato de verdad, ¿no? ¿Lo corto en trocitos?

–No, no. Enseguida le voy a explicar el argumento: el horrible enano tiene a su amada prisionera en una cueva en medio del bosque. La cueva está defendida por un grupo de seres espantosos –ogros que estarán personificados por ellos (señaló a los monstruos).

–Claro, son un desastre –dijo Rasgos, que debía tenerse a sí mismo por algo muy hermoso.

–Además, el enano tiene poderes mágicos. Por ejemplo, puede convertir a las personas en animales –siguió explicando Shakespeare.

–¿Y cómo haré entonces para vencerlo? –preguntó Rasgos con verdadera preocupación.

–Deje todo por mi cuenta, Excelencia. Enseguida le traeré el libreto que deberá memorizar.

–No entiendo qué se propone –le dije a Shakespeare una vez que estuvimos de vuelta en la habitación.

–Y yo no tengo tiempo de explicarte. Cuento con pocos minutos para escribir el libreto. Por mi parte lo que no entiendo es por qué tus dieciséis actores, acompañantes o lo que sean, tienen que estar todo el tiempo haciendo lo mismo que tú haces. ¿No puedes ordenarles otra cosa?

—Shakespeare, no tengo tiempo de explicarle. Estoy aquí para rescatar a Marcia, no para andar aclarándole a usted cuanta cosa suceda.

—¿Sabes que eres bastante irrespetuoso? ¿Te lo han dicho alguna vez?

—Muchas. Últimamente, la abuela de Marcia.

—¿La abuela de Marcia?

En ese momento escuché unos gritos. Gritos de una voz agradablemente conocida:

—¡Tarados! ¿Encima que me tienen secuestrada piensan que voy a actuar? ¡Ni loca! Y vayan avisándole a Rasgos... "Espantosos"... ¡que mejor se case con su abuela!

—¡Marcia! ¡Ésa es Marcia, Dios mío! Y se niega a actuar.

Salí corriendo de la habitación hacia donde provenían los gritos. De pronto me encontré en un angosto pasillo seguido por los dieciséis monstruos.

Los dos guardias que discutían con Marcia casi se desmayan al ver a todos los monstruos pero más todavía se sorprendió ella. Me miró como si estuviera viendo a un fantasma. No sólo no esperaba verme allí; menos aún que yo irrumpiera de pronto vestido así; y con los dieciséis monstruos pintarrajeados y disfrazados.

Antes de que los guardias hicieran nada, dije:

—Por orden del Gran Rasgos Repelentes la chica debe actuar en la obra. Oblíguenla si no quiere hacerlo.

Marcia me miró asombradísima pero inmediatamente pareció entender:

—Está bien, voy a actuar —dijo.

* *

E L RESCATE

* *

* * * * * * * * * * * * * * * * * * * *

Durante el primer acto de la obra, yo ("el horrible enano") me acercaba cautelosamente hasta la mansión donde vivía la bella Princesa (interpretada por Marcia). Conmigo venían mis dieciséis espantosos secuaces que, cuando salieron a escena, hicieron exclamar al público: "¡Qué bien caracterizados estos personajes! Claro, es la famosa compañía de William Shakespeare!"

Permanecimos ocultos entre los arbustos hasta que la bella Princesa salió a pasear por el jardín.

"¿Vendrá hoy mi amado, el Gran Rasgos Repelentes?", se preguntó gritando exageradamente (a último momento Rasgos no había aceptado que le cambiaran el nombre). Entonces, siguiendo las indicaciones del libreto, me acerqué sigiloso a ella con expresión criminal. La tomé por detrás y le tapé la boca para impedir que gritara. Luego la levanté (apenas pude hacerlo) y antes de llevarla a mi guarida dije, mirando al público:

"En mi cueva le haré sufrir horribles tormentos, ja, ja." Y dirigiéndome a los monstruos, agregué: "Vamos, mis queridas criaturas".

Lo que la gente no alcanzaba a entender del todo era por qué mis dieciséis secuaces me seguían con los brazos levantados y el cuerpo echado hacia atrás como si también ellos estuvieran cargando con una princesa cada uno, sólo que invisible.

Al desaparecer nosotros por un costado del escenario, llegó hasta la casa de la Princesa el Gran Rasgos Repelentes. Se detuvo debajo de uno de los ventanales (de cartón) y alzando los brazos estúpidamente exclamó:

"Oh dulce, dulce noche. Pronto me casaré con la Princesa. Pero ahora necesitaba saludarla como otras veces antes de marchar a dormir a mis aposentos. Instantes hay en que temo que todo sea

un sueño sin otra realidad que su dulzura nocturna... Mas ¡no está como siempre en su ventana! ¿Acaso no recuerda que ésta es la hora en que diariamente llego hasta aquí? ¿No ha escuchado mis pasos? La llamaré a viva voz aunque todos en su casa me oigan: ¡Princesa! ¡Princesa! Oh... aquí hay huellas de varios hombres... y aquí frágiles pisadas que no pueden ser sino de la Princesa... ¡Creo comprender lo que ha sucedido! ¡Por los dioses! ¡Horribles personas han raptado a mi prometida! Las huellas conducen al bosque. ¡Iré tras ellos!"

Rasgos llegó hasta las proximidades de mi cueva (en el otro extremo del escenario) y desde allí espió mis movimientos. Yo me encontraba mezclando líquidos humeantes y diciéndole a Marcia: "¡Con mis poderes abominables te transformaré en sapo, Princesa!"

Luego conté hasta tres, tiré el líquido hacia arriba y tuvo lugar la pequeña explosión preparada por Shakespeare. El escenario se llenó de humo y entonces coloqué en el lugar de Marcia a un sapo que había estado todo el tiempo haciéndome cosquillas en el bolsillo derecho. Marcia ya se había retirado por una puertita lateral sin ser vista por el público, y yo dije:

"¡Allí te dejaré convertida en sapo. Sólo podrá romper este hechizo un valiente y hermoso hombre que te dé mil besos en el lomo y te susurre bellas palabras al oído!"

Dicho eso lancé una fuerte y malévola carcajada y salí de escena.

Rasgos esperó a que me alejara y luego se acercó a mi cueva. Intentó tomar entre sus manos al sapo pero éste lo esquivó con dos o tres hábiles saltitos. Luego miró al público, que comenzaba a reírse, e intentó un rápido manotazo aunque nuevamente fue eludido por el animalito. Se puso entonces en cuclillas, se acercó lentamente al sapo y tras unos segundos de cálculo se tiró sobre él. El sapo saltó sobre su cuerpo y Rasgos quedó planchado en el suelo.

"Amada mía, no temas, soy yo, el Gran Rasgos Repelentes..."

El sapo, indiferente a las palabras de Rasgos, permaneció estático inflando una y otra vez el globo de su garganta.

De pronto Rasgos se incorporó y comenzó a

correrlo por todo el escenario hasta que por fin, agitadísimo, consiguió atraparlo. Lo apretó entre sus manazas y miró de reojo hacia atrás del escenario, donde estaba Shakespeare, y se quedó detenido.

—Vamos, vamos, continúe —lo alentó Shakespeare susurrando sus palabras pero expresándose con gestos enérgicos.

"Oh, amada, te salvaré, ni por un instante lo dudes."

Tras pronunciar esa dulce frase, Rasgos le dio el primer beso en el lomo al sapo —el público rió aunque tratando de contenerse para no ofender al dueño de casa y actor principal.

—Apresúrense. No es momento para hablar —nos gritó Shakespeare. Después del abrazo del reencuentro, Marcia me estaba mostrando un pequeño aparatito con el que había soñado en la celda, durante los pocos minutos en que la venció el cansancio. Era un televisor, diminuto como la yema de un dedo, cuya extraordinaria cualidad era que en su pantalla podía verse a nuestros compañeros de la nave.

—¡Es genial! —exclamé—. ¡Ahí está el Locósmico caminando! ¡Y el señor Piero N. Mastrángelo!

—Y si acercas el oído hasta puedes escuchar lo que dicen —me explicó Marcia.

—¡Vamos! ¡No pierdan tiempo! —nos reprendió Shakespeare, sin dejar de controlar lo que sucedía en el escenario—. ¡Ya le dio como veinte besos al sapo! ¡No tenemos mucho tiempo!

Tomando todo tipo de precauciones fuimos avanzando por un oscuro corredor que daba a la puerta levadiza por la que se salía al exterior. Este acceso a la puerta principal del Castillo había sido estudiado por Dimitri mientras nosotros actuábamos.

Íbamos en fila: adelante Shakespeare, luego Marcia y más atrás avanzaba yo con los dieciséis monstruos. Cerrando, Dimitri y los actores de Shakespeare. Unos metros antes de la salida oímos las voces de los guardias (cuatro) y nos detuvimos.

—¿Y ahora qué hacemos? —pregunté a Shakespeare.

—Ya está todo previsto —me tranquilizó, e hizo una seña a dos de sus actores que, recién allí me di cuenta, se habían disfrazado como los soldados de Rasgos. Ellos pasaron a nuestro lado y se acercaron a los guardias.

—¡Alto! ¿Quiénes son ustedes? ¿Qué quieren?

¿No saben que nadie puede circular por aquí? —los interceptaron.

—Es que hemos extraviado una falsa tortuga inocua y creemos que huyó hacia aquí. ¿Acaso no la han visto?

—¿Una falsa tortuga inocua?

—Acaba de matar a un falso gato rojo que yace allí atrás, despanzurrado.

—¿Despanzurrado? ¿Y yace allí?

—En verdad no creemos que esté despanzurrado, como comúnmente se dice, sino que se "hace" el despanzurrado. Incluso ya se lo hemos visto hacer en otras oportunidades: se saca la panza, la deja junto a él y comienza a gemir y a acusar a la falsa tortuga inocua.

—¿La acusa?

—En efecto. Personalmente no tenemos nada contra él y hasta nos cuesta tener que decir esto pero en fin, queridos amigos, la acusación es completamente infundada.

—¿Y está despanzurrado?, es decir, ¿se hace?

—Finge estar despanzurrado como le expliqué anteriormente.

—Deja su panza al costado, nos había dicho.

—Y comienza a gemir haciéndose el dolorido y a acusar a la falsa tortuga inocua.

—Y la acusa a ella injustamente.

—¿Cómo? —preguntó uno de los actores.

—Sólo estaba repitiéndome sus palabras para ver si había alguna contradicción en las mismas. Usted dice que yace allí despanzurrado.

—Oh, sí, sí. Pueden comprobarlo ustedes mismos.

—¿De qué manera?

—Una de las formas es asomándose.

—Estamos acostumbrados a eso. A asomarnos para comprobar por nosotros mismos. Será mejor que vayamos a ver. ¿Me había dicho que yace allí, no? ¿Fueron ésas sus palabras?

—Sin duda dije eso. Pero... pasen, pasen, por favor.

A medida que fueron entrando al pasillo, los fui empujando. Los monstruos me imitaron: cuando cada guardia llegó al monstruo número 16 ya no recordaba ni su nombre.

—¡Hay que bajar el puente levadizo! —ordenó Shakespeare.

Tiré un poco de la cadena que bajaba el puente y enseguida los monstruos hicieron el resto.

—Debemos apurarnos, Rasgos va por el beso número 253 —aseguró Shakespeare.

—¿Cómo lo sabe? —preguntó Marcia.

—Estoy contando cada vez que se ríe el público.

Pasamos el puente con muchísimo cuidado. Abajo estaban los cocodrilos con sus enormes bocas abiertas esperándonos para la cena, y arriba, en las torres, los otros guardias que, aunque nos amparara la oscuridad, nos detectarían al menor ruido. En el mayor de los silencios todos subieron a la carreta. Por mi parte, tuve que marchar caminando a la par porque, de subir los monstruos conmigo, sin duda la hubiesen desfondado. Noté en ese momento que los monstruos estaban nerviosos. Como todos lo estábamos, no le di importancia.

—Según mi cálculo una hora es el plazo que tenemos para escapar de aquí —explicó Shakespeare cuando ya nos habíamos alejado unos cien metros—. Media hora es lo que demorará Rasgos Repelentes en completar los besos que debe prodigarle al sapo. Unos minutos más gastará en comprobar que el sapo no se convierte en princesa y luego dará órdenes a la guardia para que nos busquen por todo el Palacio. Todo eso le llevará cerca de sesenta minutos.

—Con sólo una hora de ventaja no conseguiremos salvarnos.

—Es cierto, Bruno, pero debes tener en cuenta que es de noche y que por ahora sólo nos buscarán en las inmediaciones del Palacio. Recién por la madrugada podrán ver nuestras huellas. Si queremos aventajarlos tendremos que avanzar toda la noche sin descanso... ¿Pero qué les sucede a tus bes... quiero decir a tus hombres, muchacho?

—¡Bruno! ¿No te das cuenta? —gritó Marcia desde arriba. Es como si los monstruos se estuvieran despidien... ¡Se van! ¡Se marchan!

De pronto vimos que los monstruos comenzaban a correr y se perdían en la noche.

—¡Tenemos que ir con ellos! Deben de ir a la nave a comer —dijo Marcia.

—Ya es tarde. Es imposible alcanzarlos. Corren más que los caballos —le expliqué resignado.

Shakespeare nos miraba intrigadísimo.

—¿A qué nave se refiere la niña? ¿Qué son ésos que se fueron? ¿De dónde vienen ustedes? —preguntó—. ¿Han venido por mar?

—Bueno sí. Hemos venido navegando —le dije, al tiempo que subí a la carreta y me quedé en la parte de atrás para evitar nuevas preguntas.

Marchamos toda la noche apurando a los caballos constantemente.

Cuando llegó la madrugada, Shakespeare nos dijo que lo mejor sería separarnos, ya que Rasgos y sus hombres con seguridad iban a seguir los rastros de los monstruos o los de la carreta. A los monstruos jamás los alcanzarían y en cuanto a ellos mismos, les sobraban recursos como para despistar a los maleantes. Luego desató uno de los dos caballos de la carreta y nos dijo que podíamos irnos en él adondequiera que fuésemos.

Detrás del caballo ató una especie de gran cola —un trozo de telón de teatro creo que era— para que fuera borrando las huellas que irían dejando los cascos del animal.

Nos despedimos con lágrimas en los ojos.

—Jamás olvidaremos lo que hizo por nosotros, señor Shakespeare —le dije casi tartamudeando.

—Tampoco yo los olvidaré a ustedes, Bruno.

—¿Usted es William Shakespeare? —le preguntó Marcia.

—Naturalmente.

—¡Oh! Una vez en un teatro vi una obra suya. Se llamaba "Romeo y Julieta".

—¿Romeo y Julieta? Jamás escribí algo con ese título, niña.

—Sí, se trata de dos jóvenes que se enamoran pero sus familias no consienten que ellos estén juntos.

—Te repito que nunca escribí nada así. Confieso de todas formas que luego de pasar por esta aventura y de conocerlos a ustedes me dieron ganas de escribir una historia de amor. Claro que para que resulte más interesante al público debería agregarle algunas cosas al argumento. Podría ser, por ejemplo, que las familias de ambos estén enfrentadas, como tú dices. ¿Cómo habías dicho que se llamaba esa obra?

—Romeo y Julieta.

—No está mal, te prometo que lo voy a pensar.

—Bueno, es mejor que nos apuremos —dije—. Mi fiel Dimitri me ha dicho que prefiere quedarse con ustedes. ¿Tiene un puesto para él en su compañía?

—Claro, por supuesto —respondió Shakespeare y a Dimitri se le iluminó el rostro de alegría. ¿Habría soñado toda su vida con ser actor?

Nos volvimos a saludar, nos ayudó a subir al caballo y partimos a todo galope siguiendo las huellas de los monstruos.

* * * * * * * * * * * * * * * * * * *

SOLOS EN "NADA"

* * * * * * * * * * * * * * * * * * *

* * * * * * * * * * * * * * * * * *

Ignorábamos qué distancia nos separaba de la nave. En cierto momento dejamos atrás las suaves elevaciones "terrestres", el polvo y los pequeños matorrales que eran parte del paisaje que rodeaba al Castillo de Rasgos, del "sueño" que incluía a Rasgos y a su Castillo, y nuevamente entramos en el suelo plano y desnudo del planeta.

Calculé entonces que justamente la distancia que habría desde allí a la nave sería igual a todo lo que habíamos andado en moto, ya que los hombres de Rasgos habían aparecido poco después de que se nos agotara la batería. Por lo menos tendríamos que cabalgar varias horas para reunirnos con nuestros amigos.

Yo llevaba las riendas y Marcia iba agarrada a mi cintura, contándome las penurias por las que había tenido que pasar como prisionera y preguntándome detalles del rescate: de dónde había sacado a ese simpático señor Shakespeare, para qué había pintarrajeado así a los monstruos y cómo había encontrado el Castillo. Después que contesté todas sus preguntas me contó que una de las noches en que estaba encerrada en su celda había entrado por la ventana un hermoso pájaro y que ella había impedido que el guardia lo agarrara para comérselo. Me explicó que se trataba de un pájaro igual al de Dimitri.

—Y después el pájaro voló por encima de la cabeza del guardia y dejó caer un regalo sobre su pelada.

—Es cierto. ¿Cómo lo sabes?

—Bueno. Hay muchas cosas que aún no sabés de mí. En fin, algún día te voy a contar. Cuando puedas entenderlo...

—¡Bah!

Seguimos galopando. Estábamos cansadísimos. Cada tanto se me cerraban los ojos y por momentos sentía que Marcia apoyaba su cabeza en mi hombro. Por su respiración me daba cuenta de que se había dormido. "Ojalá sueñe con la batería que le falta a la moto o con algo que nos lleve rápido hasta la nave", pensaba yo mientras cruzábamos por ese lugar donde todo era igual. Estaba seguro, además, de que sería una verdadera casualidad que estuviéramos avanzando en la dirección correcta porque hacía rato que no había huellas de los monstruos ni de nada.

En cierto momento recordé a mi familia y a mis amigos de la Tierra. Sentí como un dolor en el estómago y hasta me dieron ganas de llorar. Deseaba estar ya en mi país, haciendo mi vida normal. Y ahora se me ocurría que a lo mejor jamás volvería a ver a mis padres y a mis hermanos. Quizás pasaran años, en el mejor de los casos, sin que pudiéramos regresar a nuestro planeta.

—¡Eh! ¡Frena al caballo! ¡Mira! ¡Haz que se detenga, por favor! —gritó Marcia sacudiéndome por los hombros.

—Es mejor seguir.

—Es que, ¡se están yendo los de la nave! —gritó.

—¿Cómo? ¿Qué estás diciendo? —pregunté mientras detenía al caballo.

—Que los de la nave están por irse de "Nada".

Bajé del caballo y ayudé a Marcia a hacerlo. Me mostró su pequeño televisor en el que podía verse lo que ocurría en la nave. El aparatito casi saltaba en su mano temblorosa y ella, agitada, volvió a decirme, gritando, que nuestros compañeros de viaje estaban a punto de marcharse del planeta.

Me puse tan nervioso que por más que miraba la pantallita del televisor no veía nada. Incluso tuve que fregarme los ojos porque tenía como una pequeña nube delante de mi cara. Me costó acostumbrar la vista a algo tan pequeño donde las figuras que se movían eran como manchitas diminutas. Por el momento sólo veía la silueta de una persona ir y venir atareada cargando cosas.

Me tiré al piso y cubrí al televisor con las dos manos haciéndome pantalla. Distinguí entonces a más personas. El Locósmico parecía estar enfurecido y discutía con un terráqueo vestido de uniforme al que yo no había visto antes. El hombrecito de Gamonius estaba un poco más lejos y también parecía discutir con otro.

—¿Oyes lo que dicen? —me preguntó Marcia.

—¿También se puede oír?

—¡Claro! Tienes que acercar bien tu oído. Ya te lo había dicho.

Pegué mi oreja al aparatito y, aunque no veía, pude escuchar la discusión que mantenía el Locósmico con el de uniforme.

"...Hasta que regresen" —alcancé a escuchar que decía el Locósmico.

"Ya le dije: media hora. Y le expliqué que si seguimos esperando no se salvará nadie, ni ustedes ni nosotros, porque no nos alcanzará el combustible para llegar al planeta habitado más cercano. Por la órbita que describe este planeta si pasan unas horas más nos alejaremos tanto que nuestras cargas de combustible serán insuficientes."

"Aunque sea permítanos hacer una última recorrida para..." —comenzó a decir la voz del señor Piero N. Mastrángelo pero lo interrumpió el mismo terráqueo:

"Han hecho ya como diez recorridas y no han visto ni rastros de esos chicos. Nosotros mismos ya los hemos buscado incansablemente. Es sencillo: desaparecieron. A esta altura es imposible que estén con vida. Además este planeta es muy extraño. En nuestra base ignoran hasta cómo se llama. No sé cómo pudieron llegar hasta esta zona inexplorada del espacio. Por todo eso es que tenemos órdenes de irnos de aquí cuanto antes."

—Dice que estamos muertos —le dije a Marcia, alejando mi cara del aparatito.

—¿Estaremos muertos? ¡Dios mío! —exclamó Marcia.

—¿Estás loca? ¿Quiénes serán ésos? Fíjate que están sacando cosas del cosmobús y las llevan a otro lado.

—Será que las trasladan a otra nave. A la nave en que vinieron ellos.

—Claro, si ésos son terráqueos.

"En quince minutos salimos. Si se resisten tenemos órdenes de llevarlos por la fuerza. No vamos a dejar morir a seis personas por dos que seguramente ya han perecido", dijo el terráqueo que llevaba una gorra con visera. Dicho eso, dio media vuelta y salió caminando enérgicamente. Todos nuestros compañeros lo siguieron: vimos a la pareja de plutonianos, al hombrecito de Gamonius, a la abuela de Marcia ("¡Abuelita!", exclamó Marcia), al señor Piero N. Mastrángelo, al Locósmico y hasta a la aza-fata-robot, todos detrás del tipo pidiéndole que permitiera esperar unas horas más.

"He dicho mi última palabra. Ya los espera-mos demasiado. En quince minutos salimos", dijo el de gorra y empujó la puerta de una nave (ahora la veíamos claramente) en la que decía "Salvataje Cósmico".

—¡Tenemos que seguir! —dijo Marcia, tem-blando.

Subimos al caballo y seguimos a todo galope.

Para lo único que me había servido ver en el

televisor a los de la nave fue para observar las sombras que hacían en el suelo y con ello deducir más o menos en qué dirección debíamos andar. De todas formas estaba completamente seguro de que era imposible llegar en quince minutos. Ni siquiera en una hora.

Cabalgamos hasta extenuar al caballo, pero ni aun así divisábamos nada de lo que rodeaba al cosmobús. Yo esperaba ver de un momento a otro a la Mujer Gigante que colgaba sus ropas lavadas por la tarde. Pero era evidente que estábamos muy lejos.

—Van catorce minutos —me anunció Marcia decepcionada.

—¿Qué están haciendo? —le pregunté a gritos.

Marcia iba agarrada de mi cintura con un brazo y en la mano libre mantenía al televisorcito casi pegado a su cara. Sólo quitaba la vista de allí para ver la hora.

—Ya pusieron en marcha la Nave de Salvataje.

—¿Cómo te das cuenta?

—Porque noto las vibraciones. Los nuestros están abajo... ahora los empujan para que asciendan. ¡Los están haciendo entrar a la fuerza! Por Dios... cerraron las puertas... ¡Bruno! La nave está por despegar... —alcanzó a decir Marcia y noté que quedaba recostada contra mi espalda.

—¡Marcia! —le grité, pero no contestaba. Se había desmayado.

Apenas alcancé a sostenerla con una mano para evitar que se cayera y con gran esfuerzo detuve al caballo.

La bajé y la acosté suavemente en el suelo. Se trataba sólo de un desmayo pero me aterrorizó verla así. Apoyé su cabeza en mi mano izquierda y traté de reanimarla. Respiraba agitada y no reaccionaba ante los pequeños golpecitos con la palma de la mano que yo le daba en la cara.

Mientras esperaba que recobrara el conocimiento tomé el televisor que aún apretaba en su mano y lo acerqué a mis ojos.

La nave, finalmente, comenzaba a despegar. Vi cómo el piloto encendía las luces que indicaban el funcionamiento de los reactores, cómo controlaba todo por última vez y luego hacía un movimiento con la cabeza indicándole a su compañero de conducción que de inmediato comenzarían a ascender.

La nave empezó a subir.

Todo estaba perdido para nosotros. Por el resto de nuestras vidas viviríamos en "Nada".

Me quedé mirando el ascenso de la Nave de Salvataje. En ella se iban nuestros amigos. De pronto el televisor pequeñísimo soñado por Marcia dejó la imagen detenida. "Se descompuso –pensé–, tal vez dejó de transmitir porque la nave se alejó demasiado del planeta. Da lo mismo."

–¿Que ocurrió? –preguntó Marcia volviendo en sí–. ¿Por qué estoy acostada en el suelo?

Unos segundos después se recobró del todo y preguntó:

–¿Se marcharon? ¿Ya se fueron?

Asentí con un movimiento de cabeza y de inmediato nos abrazamos y lloramos no sé cuánto tiempo.

* * * * * * * * * * * * * * * * * * *

*T*REPADOS A LA MUJER GIGANTE

* * * * * * * * * * * * * * * * * * *

* * * * * * * * * * * * * * * * * *

—¿Qué vamos a hacer ahora? —nos preguntábamos desconsolados. Finalmente decidimos continuar cabalgando hacia la nave. Al menos allí tendríamos algo para comer y estaríamos más seguros.

Anduvimos cerca de dos horas sin decir una sola palabra. Marcia iba con su cabeza apoyada en mi espalda. Como yo, seguramente pensaba en la Tierra, en sus padres, en su abuela. Ahora todo parecía más lejano.

Cuando por fin empezamos a ver algunas cosas de nuestro "territorio" no hicimos ningún comentario entusiasta. Pasamos ante el Árbol de la Sabiduría (me llamó la atención que pese a que pasamos por debajo de sus ramas no nos "dijera" nada); bordeamos el Río Invisible, vimos a la Mujer Gigante colgando su ropa... de pronto reparamos en que la Mujer estaba absolutamente estática, como petrificada.

Miramos a nuestro alrededor: hasta los pájaros plutonianos estaban detenidos a centímetros del piso como si acabaran de emprender vuelo y de pronto hubieran sido "congelados".

—Todo está quieto —le dije a Marcia. En ese momento vi a los monstruos, que continuaban pintarrajeados y disfrazados, detenidos, los dieciséis con el mismo pie levantado y en actitud de caminar, rígidos como estatuas.

—¡Oh! Esto lo soñé yo —exclamó Marcia cubriéndose la cara con las manos—. Ahora recuerdo. Fue durante el desmayo. Soñé que el planeta se detenía, que todo quedaba quieto menos nosotros, que seguíamos cabalgando hasta llegar a la nave.

—¡Claro! Es lo que vi en el televisor. Por eso quedó la imagen detenida. Pero entonces... —busqué el televisorcito en mi bolsillo. Era tan pequeño y yo estaba tan nervioso que no lograba dar con él. Saqué mi pañuelo, unas monedas y al fin apareció: estaba pegado a la moto.

—Y en el sueño, cuando nosotros subíamos

a la nave todo volvía a la normalidad –siguió explicándome Marcia.

—Acá está el televisor.

—Pero se cumplió la mitad del sueño: todo se detuvo, sólo que después que la nave se marchó –completó Marcia con amargura.

Miré detenidamente la imagen: se veía la Nave de Salvataje desde afuera. Pero... estaba detenida: se podía ver a los dos pilotos y más atrás a algunos de nuestros compañeros de viaje que estaban quietos, no movían ni las pestañas.

—Está detenida –dijimos los dos a la vez. Nos miramos un instante y lentamente fuimos levantando la vista, torciendo la cabeza hasta poder mirar hacia arriba.

—¡Allá está! ¡Allá está! –gritamos y saltamos enloquecidos.

A unos doscientos metros encima de nuestras cabezas estaba la Nave de Salvataje Cósmico perfectamente quieta.

Claro, el único problema era que teníamos que encontrar la forma de llegar hasta allá arriba.

Primero fuimos a comer al Restaurante. Hacía días enteros que no probábamos bocado. Estábamos contentísimos y nos repetíamos constantemente detalles de un plan que acabábamos de idear.

Más tarde tomamos cuchillos y una tijera que encontramos en el mismo Restaurante, y pusimos manos a la obra. Fuimos hasta donde estaba la Mujer Gigante y, agarrándome de una tela que colgaba del fuentón que había a sus pies, pude treparme hasta el borde. Desde allí y haciendo un gran esfuerzo hice resbalar la sábana hasta el piso. Aunque Marcia me ayudaba desde el suelo, tirando hacia abajo, al ser tan grande la sábana el trabajo demoró horas. Luego, en el suelo, cortamos la tela en tiras practicando gruesos nudos cada medio metro.

Cuando terminamos ayudé a Marcia a subir al fuentón y, siempre llevando el extremo de la tira de sábana, fuimos abriendo agujeros en el vestido de la Mujer Gigante que nos permitían apoyar los pies y ascender.

Subimos con muchísimo cuidado. Por otra parte, la tela era tan gruesa que nos costaba enorme trabajo hacer cada orificio. Cuando llegué a la altura del bolsillo ya casi no me quedaban fuerzas. Me senté en el borde a esperar a Marcia. Pero al asomarme para comprobar que estuviera subiendo, perdí el equilibrio.

—¡Ahhhh..! —grité aterrorizado.

Afortunadamente caí hacia el interior del bolsillo sobre algo blando que, por la oscuridad que había allí, no pude determinar qué era. Con rapidez volví a trepar hasta el borde.

Descansamos unos minutos y luego seguimos. No podíamos evitar, cada tanto, mirar hacia la nave a ver si todavía continuaba detenida en el mismo sitio.

Trepamos por la espalda de la Mujer (nos llevó más de dos horas) e hicimos un nuevo descanso sobre su hombro derecho.

Desde el hombro ascendimos por el brazo, que fue la parte más peligrosa que tuvimos que trepar ya que únicamente podíamos adherirnos a la piel o tomarnos de los vellos que eran como ramas finas y flexibles.

Con mucho esfuerzo llegamos hasta la mano que, como el brazo estaba levantado, resultaba el punto más alto de la Mujer. Sus dedos eran tres veces más largos que nosotros. Habían quedado "petrificados" en el ademán de apretar el broche que sujetaba la prenda. Colgándonos del índice pudimos por fin llegar hasta la cuerda.

De allí en más la cosa era deslizarse por sobre la cuerda que tenía un diámetro como de medio metro, hasta llegar a una posición que estuviera exactamente arriba de la Nave de

Salvataje, detenida unos cuantos metros más abajo. Nuestro plan era llegar hasta ese punto de la cuerda y luego bajar hasta la nave ayudándonos con las tiras de sábana gigantes que llevábamos.

Con mucho cuidado nos fuimos desplazando a caballito de la cuerda. Mirar hacia abajo daba vértigo. Desde esa altura se podía divisar todo: el Árbol de la Sabiduría, el Río de Aguas Invisibles, el techo del Restaurante. Vistos desde allí los monstruos parecían enanitos.

Teníamos la impresión de que había pasado muchísimo tiempo desde que comenzáramos a cortar las tiras de sábana pero en verdad no había transcurrido ni un solo minuto, ni siquiera la centésima parte de un segundo. Todo estaba quieto, en los relojes siempre era la misma hora y las sombras del planeta estaban siempre en la misma posición. "Nada" nos esperaba a nosotros.

Cuando al fin llegamos al punto que nos parecía el indicado, comprobamos que en realidad la cuerda no pasaba exactamente arriba de la nave sino que, bajando verticalmente agarrados a nuestra tira, la nave nos iba a quedar a unos diez metros a la derecha.

—Vamos a tener que hamacarnos a un lado y a otro hasta que en uno de esos impulsos podamos arrojarnos encima de la nave –le dije a Marcia, creo que imitando a algún héroe de película.

Descender por la tira fue lo que nos dio más miedo. Parecía que en cualquier momento nos quedaríamos sin fuerza suficiente como para mantenernos agarrados. Estábamos muy alto, por encima de la cabeza de la Mujer que tenía unos doscientos metros de altura. Hicimos muchísimas paradas: nos dejábamos deslizar hacia abajo unos cinco metros por vez y luego parábamos. Más que el esfuerzo, creo que nos cansaba el temor a caernos.

Al fin bajamos hasta el nivel en que estaba suspendida la Nave de Salvataje. Pero aunque estábamos a la misma altura, nos separaba de ella una distancia de diez o doce metros hacia el costado.

–Ahora tenemos que columpiarnos –dije. Había conocido esa palabra en una novela en la que el protagonista estaba colgado de la soga del campanario de una iglesia y el narrador decía que se "columpiaba".

Empezamos a hacer fuerza a derecha y a izquierda y enseguida estábamos hamacándonos en la mejor hamaca que se haya visto jamás. Hasta que el vaivén se fue extendiendo y llegamos a rozar un extremo de la nave, delante de la cabina de mando. A la segunda vez que la rozamos grité "¡Ahora!" y me largué con los ojos cerrados. No abrí los ojos y, cuando ya me parecía que estaba cayendo en el vacío, mis pies golpearon contra la nave. Pero Marcia no se había largado.

Pasó tres veces encima de mi cabeza pero no se atrevió a arrojarse ni yo a agarrarla por temor a que los dos nos precipitáramos al vacío. Finalmente aprovechó el movimiento pendular de la cuerda y soltó sus manos cayendo aparatosamente sobre la nave. La ayudé a incorporarse pero antes de que estuviera de pie sentimos una terrible fuerza que nos empujó hacia atrás pegándonos contra la cabina de mando. Y es que al tomar Marcia contacto con la nave quedaba concluido su "sueño realizado" y todo recobraba movimiento, y también la nave, por supuesto.

El impacto contra el vidrio fue tan fuerte que por unos segundos perdimos el conocimiento. Cuando nos recuperamos la nave estaba quieta, suspendida en el aire, pero ahora porque el conductor había detenido la marcha. Vimos a nuestros compañeros de viaje que desde el interior nos miraban asombradísimos primero y luego saltaban eufóricos.

Con la nave detenida el conductor abrió una

de las puertas y uno de los ayudantes salió al exterior a buscarnos. Con movimientos lentos y extremo cuidado —estábamos suspendidos a cientos de metros— nos fue guiando y llevando de la mano hacia el interior. El reencuentro con nuestros amigos fue emocionante pero duró un segundo.

—¡Cuidado! —gritó alguien e inmediatamente comenzamos a rodar sobre los asientos por las sacudidas que daba la nave. Agarrado del respaldo de un asiento pude ver lo que ocurría: la Mujer Gigante había tomado entre sus manos a la nave y la miraba con curiosidad. Sus dedos descomunales la atenazaban y parecía que la iban a destrozar en cualquier momento.

La Mujer alzó la nave hasta las proximidades de su cara y la miró con detenimiento. Su expresión era la de quien no comprende qué está viendo. Como si dejara la tarea de averiguarlo para más tarde, se guardó la nave en el bolsillo y siguió su trabajo con la ropa. Cada vez que se agachaba para poner una prenda en el fuentón la nave daba tumbos en el fondo del bolsillo y nosotros rodábamos en su interior.

El capitán explicó que teníamos potencia suficiente como para salir del bolsillo pero con tanto movimiento que hacía la Mujer la nave había quedado aprisionada por uno de los broches que usaba para colgar la ropa.

Los hombres de Salvataje discutían qué hacer para salir de allí, cuando vimos que los gigantescos dedos de la Mujer entraban al bolsillo —iluminado por los reflectores de la nave.

Los dedos revolvieron el bolsillo buscando el broche —la nave dio mil vueltas— y una vez que lo tomaron se fueron con él. Era la oportunidad para irnos. El conductor estaba tan mareado que no conseguía poner en marcha los reactores. Cuando por fin pudo hacerlo todos suspiramos aliviados (y dejamos de gritarle obscenidades).

La nave fue ascendiendo lentamente hasta que atravesamos la salida —el borde del bolsillo— y salimos a la luz del día. Pasamos casi rozando la cara de la mujer, que al vernos abrió grandes los ojos, asombradísima, y luego estiró su mano tratando de agarrarnos en el aire. Por suerte erró su manotazo y pudimos seguir y alejarnos rápidamente.

Estábamos tan exaltados por el reencuentro y estas últimas peripecias con que nos había despedido "Nada" que tardamos en darnos cuenta de lo que acababa de suceder al tomar altura: todo lo que había en el planeta, producto de nuestros sueños hechos realidad, de pronto había desaparecido. Solamente quedaba el cosmobús en el que habíamos llegado, que antes estaba rodeado de cosas y ahora lo veíamos tan solo como el mismo día en que desembarcamos accidentalmente allí.

Pensamos que quizá otros seres de otros planetas habrían llegado antes que nosotros hasta "Nada" y habrían soñado cosas que luego se hicieron realidad y desaparecieron después al irse ellos.

Lo importante era que en poco tiempo estaríamos en nuestras casas.

* * * * * * * * * * * * * * * * * *

EPÍLOGO

* * * * * * * * * * * * * * * * * *

* * * * * * * * * * * * * * * * * * *

Llegamos a la Tierra el 5 de agosto del año 2090. Nuestra aventura se había prolongado por casi seis meses pero yo tenía la sensación de que habíamos pasado varios años en "Nada".

La nave descendió en el Centro Internacional de Salvataje Cósmico, en Italia, donde nos esperaban cientos y cientos de periodistas, además de nuestros parientes y una gran cantidad de curiosos. Durante el viaje de regreso, que tuvo una escala de reabastecimiento en Marte, me había comunicado con mis padres y habíamos acordado que me esperarían en un lugar apartado del Cosmopuerto. De modo que, ni bien llegamos, me escabullí entre la multitud y me reuní con ellos en ese lugar, esquivando todo el lío.

Durante los veinte minutos del viaje de regreso a Buenos Aires, en el taxi aéreo, no dejé de hablar un segundo, contando episodios de lo sucedido en "Nada" y haciendo preguntas sobre la Tierra que ni siquiera daba tiempo a que me contestaran. Recién en casa pude tranquilizarme aunque no demasiado porque vinieron a verme decenas de parientes y amigos a quienes tuve que contar una y mil veces nuestras peripecias en "Nada".

Los primeros días que transcurrieron después del regreso los pasé de festejo en festejo y la felicidad que sentía por estar de vuelta en mi casa era inmensa. Tuve que contestar a muchos reportajes, uno de ellos a la Teledifusora Interplanetaria 879, la misma que me había premiado para viajar a Neptuno. Sin embargo, a la semana ya estaba cansado de contar lo mismo y echaba de menos... en fin, algunas cosas de las que había vivido allá.

Una tarde, viendo un noticiero por televisión, vi un reportaje que le hacían a Marcia y a su abuela. Me puse tan nervioso al ver a Marcia, que mis padres se preocuparon. "Es que debe recordar todo lo que sufrió en estos meses, pobrecito", comentó mi mamá acariciándome la cabeza.

Yo no sacaba los ojos de Marcia y a la vez

escuchaba con atención lo que la abuela decía al periodista:

—No todos los sueños se hacían realidad. Por ejemplo, cierta noche tuve un sueño hermoso, muy extenso, sobre un castillo y un príncipe que rescataba a su amada. Sin embargo, nada de eso se hizo realidad, señor periodista. Pero no me quejo: fue bastante divertido lo que vivimos en "Nada".

En ese momento la cámara enfocó a Marcia, cuya expresión hacía pensar que estaba por comerse a su abuela (es que recién entonces se enteraba —y también yo—, quién nos había metido en el lío de "Rasgos Repelentes").

Ese día estuve más fastidiado que nunca pero por suerte en casa todos lo atribuían a "la experiencia que le tocó vivir". Hasta que decidí que al día siguiente llamaría a Marcia por telefonovisor.

En el momento de marcar la clave de su aparato los dedos me temblaban. Volver a hablar con Marcia me ponía muy nervioso. Por otra parte, me decía: "ojalá no atienda la abuela". Por suerte atendió ella. Al asomarse al telefonovisor y verme, Marcia dio un grito que casi hace estallar a ambos aparatos.

Hablamos atropelladamente de lo que cada uno había hecho desde que nos separáramos en Italia, aunque primero ella se tomó varios minutos para reprocharme por qué no la había llamado antes. Conversamos como una hora y al final decidimos que estudiaríamos teatro en la misma ciudad, como para vernos todos los días cuando al año siguiente cumpliéramos los trece y tuviéramos que comenzar los estudios de tercer nivel.

Cuando nos despedimos arreglamos que nos llamaríamos cada día una vez cada uno, y que alguna vez volveríamos a visitar "Nada". Cuando nos despedimos me dijo:

—¿Sabes una cosa?

—¿Qué?

—Que anoche soñé que me llamabas.

ÍNDICE

Esta edición de 4.000 ejemplares
se terminó de imprimir en
Kalifón S. A.,
Humboldt 66, Ramos Mejía, Bs. As.,
en el mes de enero de 1999.